【電視小說06】

大長今

下

金榮眩◎劇本　柳敏珠◎撰寫　王俊、游芯歆◎譯

電視小說06

大長今(下)

劇　　本——金榮眩
撰　　寫——柳敏珠
譯　　者——王　俊、游芯歆
修文潤稿——胡洲賢
責任編輯——陳嫺若

發 行 人——涂玉雲
出　　版——麥田出版
台北市信義路二段213號11樓
電話：(02) 2351-7776 傳眞：(02) 2351-9179
發　　行——城邦文化事業股份有限公司
台北市民生東路二段141號2樓
電話：(02) 2500-0888　傳眞：(02) 2500-1938
讀者服務專線: (02) 2500-7397
網址：www.cite.com.tw Email: service@cite.com.tw
郵撥帳號——18966004
城邦文化事業股份有限公司
香港發行所——城邦 (香港) 出版集團有限公司
香港北角英皇道310號雲華大廈4/F, 504室
電話：(852) 2508-6231 傳眞：(852) 2578-9337
馬新發行所——城邦 (馬新) 出版集團
Cite (M) Sdn. Bhd. (458372U)
11, Jalan 30D / 146, Desa Tasik, Sungai Besi,
57000 Kuala Lumpur, Malaysia.
電話：(603) 9056-3833 傳眞：(603) 9056-2833
印　　刷　禾堅有限公司
初　　版　2004年7月
一版七刷　2004年12月16日

ISBN　986-7537-874
售　價：250元

第一章　無花果

「您是說，叫我成爲醫女？」

一面這樣反問，長今的腦中浮現起長德說過的話：奴婢啦、醫女啦，一樣都屬於賤民身分，沒什麼分別。長德現在回濟州島去了嗎？一想起濟州，所有在那裏發生過的事情，就如走馬燈般在腦海中閃過。

瀛州山東邊旌義縣和西邊大靜縣的縣監雖然都沒事，但監營被入侵占領的濟州牧守卻聽說遭問罪下獄，判官當然也不會沒事。長德一旦回不去，說不定就在漢陽這裏某個地方定居下來也未可知。

「怎麼？沒有宮女的官階和頭銜，妳不喜歡？」

長今滿腦子想著長德而沉默不語，讓雲白誤以爲她是在乎那些。不管怎樣，卑賤的身分總是無法令人欣然接受。

「……聽說那還被稱爲藥房妓生。」

「世宗大王時的小婢，世祖時的蝶祥一般，可都是盛名遠播的醫女啊！再者，當今王上也嚴格禁止醫女擔當與當初目的不同的任務，爲的就是想要矯正之前醫女逐漸沉淪的不良風氣。」

這樣誠懇的說明與雲白平素散漫的語氣截然不同。

長今心中一片混亂，對於再度浮現的希望感到害怕，可是另一方面，又對於自己必須以奴婢身分，毫無希望的終老一生感到恐懼。就是因爲不想再做會讓人走向死亡的料理，而想學習可以救人的醫術才開始習醫的，但想要正式成爲醫女的這條路，卻又是險阻遙遠多荊棘。心中著實害怕在這條路上會不會又失去什麼珍貴的東西。如果說現在還有什麼害怕失去的，就只剩下政浩一個了……

「妳到底在想什麼，怎麼都不說話啊？」

「大人是因爲什麼理由，才勸我成爲醫女的呢？」

「不入虎穴，焉得虎子。妳不回到王宮裏去，怎麼捉得到狐狸呢？」

長今思索了片刻後說：「成爲醫女的話，就可以回到王宮裏去了嗎？」

「那就要看妳自己怎麼做了。」

聽到「想捉宮裏的狐狸，就得回到王宮裏去」這句話的瞬間，長今的精神也爲之一振，本來以爲沒法再回宮去而打算放棄的待雪沉冤，此時又重新回到她的心中。

母親也是，韓尚宮也是，都被冤屈致死，那麼就應該有眞正犯罪的人存在，而且十之八九，就是因爲犯罪者的謀害，才會害死了她們。

長今直到此時終於如大夢初醒，母親與韓尚宮的冤死絕不是光靠自己悲泣便可以化解的。

「請告訴我該怎麼做。」

「妳眞的打算成爲醫女嗎？」

「該怎麼做才能成爲醫女呢？」

「醫女不是妳想做就能做的。原本的制度是從年紀小、身體健壯的官婢中挑選出合適的人選，所以不是由妳決定，而是得被人挑選。」

「那您爲什麼還要勸我成爲醫女呢？」

「因爲逢醫女人數不足的時候，每年便會從各司婢女中挑選一名來補充。所以若是有心，還是找得到方法的。而且以妳來說，妳拯救濟州百姓有功，若以此功上奉應獲得認可呀！」

「但因爲我治療倭寇長，主張我應該受罰的聲浪也很高啊。」

「王上曾下令獎賞妳吧？在朝鮮這片青天下，還有比那更高的聲音嗎？」

雲白突然放聲大笑，那笑聲才眞可說是朝鮮青天下最清越的聲音。

最初醫女制度是緣起於如利刃般嚴厲分明、強調男女授受不親的內外法，爲了解救無法接受御醫把脈或施藥，因而病入膏肓的內宮女眷，採納濟生院事許道等的提議，於太宗六年首度設立此制。剛開始是在隸屬倉庫與宮司的奴婢中，挑選童女數十名，教以把脈、針灸及艾炙之術。

醫女負責的包括各種婦人病的治療與接生。特別是那些光靠服藥很難治好的病症，如疔癰、皮膚病、牙痛等必須直接觸摸身體的疾病，全交由醫女負責治療。另外判定宮女是否爲處女的工作，也是醫女所負責的。

一般家庭絕無可能讓自己的女兒去做這種事情，因此才會在制度肇始之初，指定賤民身分的婢女充任。

世祖時代甚至還制定了獎懲法，規定每月必讀書籍，並考試評等，成績優良者賜予俸祿。成績不佳的醫女則下放爲惠民局的「茶母」❶。

世宗時代開始，選拔年幼但實力出眾者三、四人施以特別的教育，其中文理全才卓越者，升格爲訓導官，負責醫女的教育。醫女教育原由濟生院負責，之後濟生院與惠民局合併爲惠民署，並給予所有醫女一年兩次的米糧俸祿，以增加其學習的意願。

醫女制度得以具體化是在成宗時代。成宗將醫女分爲內醫、看病醫與初學醫三個等級，各有不同的職責與俸祿，對於成績低劣的初學醫則遣送回原來之處。

西元一四八五年《經國大典》成書之際，每月選出三名成績特優者，開始給與料俸。成績不佳者，則送往由惠民局升格爲惠民署擔任茶母，等到醫術稍有精進後，再復職爲醫女。

醫女在正式接受醫學教育前必須先研讀《千字文》和《孝經》，再者因要濟世救人，品德必須高尚，故得熟讀四書，即《論語》、《大學》、《孟子》、《中庸》；之後才學習看病、助產、針灸等醫術，並研讀各種相關的醫學書籍。

如此系統化的醫女制度卻於燕山君時代開始變質，性好漁色的燕山君當然不可能放過醫女。透過專職探尋八道美女與良馬的採紅駿使，更加速醫女的妓女化。被貼上醫妓及藥房妓生的別名也是從這時候開始的。醫女不只要濃妝豔抹，派去參加各種宴飲，還施以妓女教育，甚至讓她們擔任致贈奢華禮物的使者，或進行宮中儀式的儀仗隊，有時還得運送賜死的藥物。

通曉詩詞歌賦、具有才能，還兼備醫術的醫女以妓女姿態出現後，甚受歡迎。

中宗即位後，費盡心力矯正燕山君時代的各項暴政，亦明文禁止召喚醫女參與

❶指在官署中擔任雜役的賤婢。

宴飲場合。並下令特別著重太后殿的疾病治療與看護工作，確實做好自己原應負擔的責任。然而，污水一旦混濁，想要重新淨化，絕非易事。醫女們還是一樣被叫去參與各種宴會，因而更加受人輕視，成爲遭受最非人道待遇的賤民。

儘管現實如此，但長今現在心中只餘可以回到王宮的念頭而已。況且雲白就在內醫院裏，心中更有分踏實感。

「大人又是何時回到內醫院的呢？」長今轉而問道。

「不是內醫院，是典醫監。茶栽軒裏有怪病傳染，因爲我治療了那種病，就又被叫了回去。而我也因爲擋不住誘惑，想要多賺點酒錢，便乖乖回去啦。」

話說得很平常，但看得出來雲白對於回到權力中心並不是那麼高興，反而是相當不情願似的。雖然說可以多賺點酒錢，但相對的用來喝酒的時間就減少了。

典醫監與內醫院和惠民署通稱爲三醫司，亦是朝鮮三大醫療機關之一，相對於內醫院主要是負責看護王室宗親的疾病，典醫監負責的則是醫官的選拔與藥材的調製，保管國君所賜的醫藥，種植藥材，拔選醫療人才等醫療行政與醫學教育等任務。

惠民署是提供一般百姓醫療所設立的機關，此外又另設有別於此的活人署，專門治療傳染病與照顧無依無靠的病患，也可以說是一種貧民醫療機構。然而實際上，當時所有的體系均以士家鄉紳爲主來構築，所以爲一般百姓或貧民而進行的醫療活動，其實很難順利推展開。貧窮百姓只好依賴民間療法或巫術之力。

「比起在水刺間，會有更多困難的事情。就算這樣，妳也要試試看嗎？」

原本提議在先，現在長今願意做了，雲白反而開始擔憂起來。

「反正得一直以賤民的身分活下去，既然這樣，我想做些可以救人的事情。」

「說得也是！一般奴婢還可以有私情，有婚配，妳的狀況卻是比普通奴婢都還不如啊！」

雖然已經下定決心，但雲白講的事實卻依然教人難過。就因爲隨隨便便的亂開口，才害得自己的父親下獄而亡，母親也因而被追捕，一切都是因爲自己當初無法忍受被輕視爲卑賤的白丁之故。而那樣的自己現在反而比賤民還不如，甚至被當作是妓女的醫女，實在是諷刺到極點！

「普通的女人花謝了之後，還有丈夫和子女做爲枝葉，但妳要用什麼來當成自己的枝葉呢？」

想起以前長德問過的話，難道答案就是成爲醫女嗎？

回首過往，自己從來未曾開過花，如果以樹木來比喻，那就是無花果樹了。其實，無花果樹也是會開花的，只不過因爲花隱藏在果實中，外表看不見罷了，因此又被稱爲隱花果。不開出絢爛的花朵，取而代之是隱入果實中，連花顎在內都成爲果實的養分。花開不顯，只成就果實壯碩的樹木……

長今現在就打算成爲一棵無花果樹。

利用好不容易才得到的出宮休假，一道回來家裏了，長今可是從他進入青春期，下巴長出鬍子後，就沒有再見過他。

「長今啊，我們現在這樣聚在一起，就好像回到妳還沒進宮前，一起生活的日子一樣。」

「對，還眞是那樣呢！」

昔日和自己父親一起偷酒喝的流鼻涕小鬼一道，現在也成爲威風凜凜的內禁衛士兵了。

一想到內禁衛，最先浮上心頭的就是政浩，接下來則是自己送點心過去的內禁衛勤務室，茶栽軒菜園對面寬廣延伸的訓練場，還有借醫書的校書閣……

一道現在就在自己再也無法回去的那些景象裏站穩了腳步，取得一席之地。

「聽說妳想要成爲醫女？」

「嗯，是有那個打算。」

「那樣不錯，如果是長今妳的話，一定可以成爲優秀的醫女。比起做那些一下子就吃光的飲食，還是做個能醫治患者病痛的醫女要好得多了。」

「什麼好得多、差得多，有沒有看到你父親啊？」

德九的妻子邊從廚房出來，邊用尖銳的聲音叫罵著，看來八成是德九又做了什麼壞事。

「這冤家又趁我不注意的時候偷喝火蟻酒，反正叫他做事就不見人影，說到吃，鼻子倒比狗還靈。」

她罵得上氣不接下氣，令長今和一道相視而笑。不管是過去，還是現在，如果說有什麼是沒有改變的，就是德九妻子那痛罵老公，從不知厭倦爲何物的嘮叨聲。

「還敢笑？你覺得你母親很可笑是吧？你這個蠢東西，連老娘你也敢笑？」

「我什麼時候笑過母親您啊，怎麼這樣說？」

就算德九的妻子胡亂遷怒，一道還是笑嘻嘻地面對她。這個男子的長相像他父親，就算資質不是那麼突出，卻從未存有害人之心，是個相當善良的年輕人。

長今看著一道的臉，重新打量他。人的臉上如果抹去了所有的貪念，就只會剩下如此純眞的表情吧。

「這人大白天就偷酒喝，這會兒又跑到哪裏去了？長今啊！妳到莫介家的妓院去收收酒錢！」

「娘！我去就好！」

「你這小子，誰叫你出頭啊？」

「誰去都可以啊！反正只要把酒錢收回來不就好了！」

「你閉嘴！又想收了酒錢，然後全部花光光才曉得回來嗎？」

「我才不會呢！我會快去快回，娘您就相信我吧！」

「唉唷，你這小子！有別人相信你們就好，想叫我相信你們姜家人啊，門兒都沒有！」

「就算那樣，也不能叫個大閨女去妓院啊？長今還要看醫書用功啊。」

「看什麼醫書啊？在家裏好好幫忙做家事不就得了。」

「不管怎樣，我去收酒錢，母親您就趕緊去找父親吧。」

一道一消失，庭院中就只剩下懶洋洋的春陽與冷颼颼的沉默。

看德九妻提不起勁的模樣，長今悄悄起身出門，走向鄰近的菜園。釀酒坊和小徑中間有一塊平坦的土地，開闢爲菜園，最近長今除了研讀醫書之外，所有的心力均投注在此菜園中。

前一天下的春雨，讓菜芽在一天之內全綠油油地冒出來了。種了桔梗的土地上已經看得到一簇簇的艾草苗，大概再過幾天，這一帶就會變成艾草田了。艾草有著令人讚嘆的旺盛生長力，只要一天不管，就會以驚人的繁殖力盤據一方土地。

韭菜莖葉也全都纏在一起，看不出原貌了，莖葉長長了之後，就會無力支撐而纏在一起，因此每過一段時間，就要動手把每株莖葉分開。柔軟的部位可供食用，鱗莖部分則可以用在健胃、整腸和火傷的治療上，是屬於全株皆可用的多年生植物。

萵苣才剛採摘沒多久，但每棵枝葉上又已長出許多嫩綠的葉片。才不過前天，在吃了萵苣飯撐得兩頰圓鼓鼓之後，德九一家三口足足午睡了快一個時辰啊！萵苣有止痛、催眠的作用，多食會嗜睡。

開著紫色小花的是寶蓋草，可用來當吐血與流鼻血時的止血劑，與水芹菜、薺菜、鼠麴草、滿天星、蔓菁和蘿蔔合稱春天七草。還有菘菜……本來還擔心芒種前播種會太早，想不到在這之間黃綠嫩葉上已長滿了密密的皺摺，看來量多到足以做菘菜煎餅讓一家四口吃到膩。即便在寒冷的冬天裏也一片鮮翠不枯萎，難怪會以帶有長青松草之意的菘字爲名。俗語說百菜不如白菜，就是說集其他百種蔬菜也沒有這一種蔬菜好。如果一整個春季都吃的話，到了冬天就不用擔心感冒了。

仔細想想，自己和菘菜的因緣也頗深的。離開茶栽軒之前，曾爲雲白做了菘菜煎餅；後來遺失小麥麵粉時，也是託菘菜之福，才安然通過了宮女考試；後來又賭上生命，爲明朝使臣做的菘菜包飯……

沉浸在過往思潮裏的長今，不自覺地用沾滿泥土的手摘下一片菘菜葉，直接就放進嘴裏咔嗞、咔嗞地嚼起來。雖然帶點土腥味，但整個口腔立刻充滿菜味的清香。

「長今啊！長今！」

德九的妻子在釀酒坊前上氣不接下氣的呼叫長今，原本蹲著的長今猛然起身，不禁感到一陣輕微的暈眩。

「長今啊！有人來找妳啦！」

穿著青團領服裝的男子，確實是政浩無誤。看著他一發現到自己，馬上快步跑來的模樣，長今的雙手卻不由自主的繼續撕扯著菘菜葉片。

「徐內人！」

怎麼還叫徐內人呢？如今這已經是個不適宜的稱呼了。無論是政浩或長今，均互相迴避著對方的眼睛，表面上微笑，內心卻想著兩人當中，總要有個人先打破沉默才好。

「我以爲您還在釜山浦。」沉吟了片刻後，長今開口。

「我已經再度回到內禁衛了。」

「恭喜您。」

「釜山浦實在是太遠了，從以前就一直到處打聽可以調回來的方法，終於因爲掃蕩倭寇有功，讓王上應許了我的懇求。」

實在無臉見政浩，現在的她不只連當個賤民都不夠資格，還盤算著要去做藥房妓生，該是放下他的時候了。仔細想想，兩人的緣分也眞是坎坷，始終沒有一時半刻得以盡情的相守……

「大人，我最近在研讀醫術。」最後長今下定決心說。

「是嗎？我早就料到了。畢竟在濟州時倭寇長那誰都治不了的病，不就是妳治好的嗎？」

「那只是我運氣好矇對了，但現在我是很正式地想要認眞的學習醫術。」

「我聽說在接受教育之後，可以外派成爲地方上的醫官，成績優秀的話，還可以升爲訓導官，擔當教育的工作。」

「我……想成爲內醫院的醫女。」

「內醫院醫女？妳的意思是說妳想再回到王宮裏去嗎？」

「正是如此。」

政浩緊閉雙唇，兀自沉思著，無法洞察長今想回王宮去的眞正意圖，讓他的思緒紊亂。長今看在眼裏，頓感一陣鼻酸。

「內醫院是多麼危險的地方，妳知道嗎？」

「我已有心理準備。」

「每當患者病危或過世時，也要面對許多懲處。其程度還不只被貶送到遠方歸養終生而已，如果王上不幸駕崩，負責治療的內醫院醫官甚至免不了一死。」

「一介小小的醫女怎麼可能直接承擔治療王室的重責大任？您想得太多了。」

「我不是擔心那個，醫官……危險萬分……」

政浩心裏一急，連話都沒法好好的說。只能看著長今，大口大口的喘氣，最後更是別過頭去，氣息濁重，心情鬱悶。風輕輕吹起，搔得人額頭發癢。菜園裏的各種蔬菜嫩葉在微風中不停地拂動，站在其間的政浩與長今則相對無言良久、良久……

內醫院實際上是個紛紛擾擾，無一日安寧的地方。在治療王族的過程中，就算日有起色，也會遭人非議。如果王上因醫官治癒自己疾病提議要授與品位與官階，必然會遭受此起彼落的反對聲浪。平素大臣們均視醫官非我族類，十分輕賤，自然會盡全力勸阻國王打消念頭。而萬一治療時出了任何小問題，十之八九會受到嚴厲的懲罰，這也均是拜一班大臣進讒言所賜。

因此同流合污的醫官不在少數，越是恐懼害怕的弱者，越容易變得邪惡。醫官之中互相陷害、誣告的情形也不在少數，這都是為了要保持自己的地位所展現出來的防禦本能。然而這些人不急於出仕的眞正原因，還在於金錢。在內醫院工作時就不用說了，只要被派遣為採購藥材的審藥，光是和藥商勾結，囤積財富就忙不過來了。利用隨行出使中國的機會，透過祕密的貿易活動，累積龐大財富的醫官亦不在少數。因而只要不礙士族鄉紳的眼，他們根本不在乎汲汲追求身分地位的提升。

從內醫院的實情來看，政浩的擔憂也並非空穴來風。最瞭解長今個性的人，可以說就是他了，在那群豺狼的包圍下，就算想要秉持誠信的觀念，小心過著醫女的生活，也絕對不可能一直平順安適。尤其令政浩心痛的是，他在一向純潔無暇的長今眼中，看到了前所未見的陰影，那是深沉的怨恨啊！

她到底知不知道自己憂心如焚啊！竟然又蹲下去繼續分開韭菜的莖葉。比起纖細的頸項與腰肢，她手指的關節粗大得令人吃驚，是十年的水刺間生活，無論春夏秋冬，始終忙於處理食材，料理製作菜餚所造成的吧。現在竟然又想要以那雙手去為病患的各處患部觸診治療。

「如果妳眞的要成為醫女，那就先治療我的病吧。」

長今抬起晶亮的眼睛望向政浩。

「您有覺得不舒服的地方嗎？」

「是的。」

「不過我也還不是正式的醫女，而醫女也只能診療女體而已，還是請您快快去找醫官看看吧。」

「沒有必要把脈，我把我的症狀說給妳聽，妳仔細聽過後，就直接下個處方吧。」

長今拍拍手上的泥土站了起來，帶著沒什麼把握的表情，但看得出來是想把政浩的每一句話都聽進去的真誠態度。

「這裏面，不知道被什麼沉重的東西給占據了，想壓卻又壓不下去，想抹殺也抹殺不掉，就連割捨的念頭，才一想起，便感覺到無法忍受的疼痛……」

政浩指著自己的胸口，近乎絕決的說出這番話，長今則雙眉緊鎖，神情嚴肅的聆聽。

「這種症狀是從何時開始的呢？」隱約感覺不安，卻不能不往下問。

「好像是從看到一個做餃子的女子那一瞬間開始的。」

「什麼做餃子的女子？」明明已經清楚了，卻控制不住自己的舌頭。

「就是那個爲偷走自己麵粉的女僕的母親，親手做餃子的女子。」

長今眼中突然充滿了悲悽，往後跌坐在地上，接著便瘋狂般的又開始動手去分開一株株韭菜的莖葉。政浩則對著她，追根究柢似的問道：

「爲什麼不替我做任何診斷呢？」

「我沒有資格說任何話。」

「那我自己來下個診斷，妳聽聽看好嗎？」

「大人！」

「如果說這只是我單方面的想法……那就一定是相思病了。」

「請您割捨掉吧！」

長今突然大聲喊出來，聲音與口氣之決斷，讓政浩瞬間覺得受到了傷害，繼而忍不住怒火中燒。

「人心是可以這麼輕易割捨掉的嗎？」

「我曾經讀過一本書，裏面講到用咒術治療的例子，說在大國的某個小部落裏，巫師會用樹葉拍撫患了相思病的男子頭部來治療他。不是心，而是頭部，可見一個人的思念畢竟不是來自於心，而是來自於頭部，所以一定可以割捨掉。」

「如果眞的需要那樣的話，就請妳治療我的病吧。頭部也好，心也好，我再也無法忍耐下去了，請妳爲我治療，這樣我才能活得下去。」

政浩至此已開始無理取鬧，這期間心中的痛苦到底有多深，才會讓一個原本穩重溫順的人變得如此無理取鬧呢？或許是一切都已經豁出去了。

「大人的心意我只能心領了，然而不管是與大人初次見面時，或者是現在，我都是只屬於王上的女人，我接收到的訓示便是無法將自己的心意給別人，也無法接受別人的心意。」

「但妳現在不是已經脫離宮女身分了嗎？」

「一旦成爲宮女，就算被趕出宮外，至死眼中都只能有王上一個男人，更不用說我現在的身分只是個卑賤的奴婢罷了。」

「是這個原因嗎？妳拒絕我的原因，僅僅是因爲身分的關係嗎？」

「怎麼能說僅僅是身分的關係呢？橫梗在大人與我之間的，從頭到尾就只有這一個原因啊！」

激動中，長今終於把深藏多時的內心話全給說出來了，而就像正等著這句話似的，政浩也馬上接著說：

「聽到妳這麼說，我好高興，幸好不是我自己一人的單相思。那麼妳還有什麼好掛慮的呢？在我來這裏之前，就已經有了捨棄一切的覺悟了。」

「捨棄一切？」

「除了我的心意之外，其他所有一切都可以捨棄。」

聽到這句話的瞬間，長今想起了自己的雙親，在轉身背對熟悉的一切離開這裏時，父親與母親是否也是如此依依不捨呢？雖然無法得知他們離去時的心情，但終於找到只屬於兩人的世界時，他們也算是過了一段幸福的日子啊！

如果可以在一起的話，就算身處嚴寒中，也不會覺得冷吧？然而，政浩終究不是父親。當初父親在這世上已經毫無所戀，在遇見母親之前，早就已經打算要自我放逐，離開原來的環境了……

與父親相比，政浩有太多需要割捨的東西了，長今不能容許自己接受他心意的理由，也正在於此。

「我已經下定決心要成爲醫女了，如今大人與我已算是踏上兩條不同道路的人了。」

「這話眞是教人鬱結。不要再叫我改變心意了，只要妳改變想法不就好了嗎？」

「大人改變心意的話，萬事便會太平，但若是由我改變想法的話，大家就都會變得很辛苦。所以，大人改變心意才是正確的。」

「我做不到。」政浩一口回絕。

「大人！」

「好，眞是那樣的話，我們慢慢再商量那個問題不遲。但請妳務必先收回想回宮的想法。」

「對我來說，我有件事非進宮做不可。」

「那就請妳在這裏做。若要說病人，不只宮裏，外面也有如塵土一樣多，不是嗎？」

「一切都到此爲止，請您回去吧。」

面對政浩的焦灼，長今還是不改初衷。儘管內心已經破碎，她卻從來沒有比此時更加明確地知道自己未來應該走的道路。

「您給予我這卑賤之人的恩惠，我永銘於心，至死難忘。請您把這個也拿回去。」

長今掏出來的東西是三色流蘇垂飾，政浩一見，立刻像隻被捕獲的小動物一般心中充滿了悲哀，以極度絕望的眼神看著長今。

「這好像不是我該擁有的東西。」政浩近似賭氣的說。

其實長今的心裏是希望政浩能夠珍藏此物。這是父親的遺物，也是當初救政浩，掉落在他身邊，因而促使兩人認識的關鍵物品，更是支撐自己在那孤單寂寞的濟州島生活下去的動力表徵。從今以後，只要想到這東西被政浩珍藏著，便彷彿能安慰自己的心一般。

長今彷彿丟的遞過三色流蘇垂飾後，立刻轉身離開，茫然佇立的政浩則愣了好一會兒，才追上去一把捉住了長今的手腕。

「我沒有辦法就這樣讓妳走。」

「請您放手。」

「只要妳答應我不回宮裏去，我就放手。」

「大人！」

「你放手！」

突然傳來怒吼的聲音，回頭一看，發現是一道怒視著政浩。在總是一副和善臉孔的背後，竟然隱藏了如此憤怒的凶惡表情。然而政浩連眉毛都沒挑一下，仍舊不放開長今的手。

「還不快放手！」

「我不知道你是誰，但這不是你可以插嘴的事情。」

「難道你不知道戲弄婦女該當何罪，竟然還敢如此？」

「那你難道不知道侮辱士族該當何罪，竟然還敢這樣吆喝嗎？」

兩名男子都以長今前所未見的兇猛姿態互相挑釁，看起來似乎無法安靜善了。長今只好轉向政浩，開始向他求情。

「我擔心您會因公然維護我而遭遇危險，求求您，請您趕緊回去吧。」

但是政浩還是不放手，長今只好用力地掙脫政浩的掌握，轉身離去，五臟六腑彷彿全移了位，一道搶先一步，快速地護衛著長今，走過菜園，消失在釀酒坊裏，這期間，長今連一次都沒有回頭。

政浩上次在海南埠頭曾經下定決心絕不再錯身而過，然而這次卻還是只能無力地看著她離去。那時是因爲自己無計可施，不得已眼睜睜看著她被船載走；但現在卻是清楚地遭到長今當面的拒絕。

在長今離開的位置那裏，有分到一半的韭菜莖葉，如今也放著不管，其餘的韭菜叢則在風中顫抖著。政浩覺得自己就像那些韭菜一般被棄置不理，卻因爲還還懷抱著或許能再見到長今身影的奢望，不忍就此離去。

政浩在長今剛剛蹲過的位置單膝著地，開始挖掘泥土，把被丟下的韭菜叢再種了回去，但直到他全部種完，長今卻始終沒有再出現過。

在夏天拉開序幕的時候，長今得到典醫監從六品主簿大人鄭雲白的推薦，進入惠民署接受醫女教育。

開始正式研讀醫學之前，必須先學習《千字文》與《孝經》，對長今來說眞是無聊透頂。研讀《論語》、《大學》、《孟子》、《中庸》的情況也差不多。當稚齡的受訓生還在爲四書煩惱不已之際，長今早把雲白當成私人教師，學習把脈、燒炙與針灸了。

長今甚至連晚上都捨不得睡覺，孜孜苦讀《銅人經》、《鄉藥濟生集成方》等各種醫書。特別是讀完了成宗大王元年金希善所著的《鄉藥濟生集成方》全套共三十卷，讓雲白也爲之驚訝得咋舌不已。此書共收錄三百三十八種各類疾病的症狀，並提供兩千八百三十種處方箋，長今把所有的內容一字不漏，全都背了下來。

管轄朝鮮首都漢城的官廳漢城府，其下分爲五部；即東、西、南、北、中，五部又細分爲五十二坊。部相當於今日的「區」；坊則相當於現今的「洞」。

惠民署位於南部大平坊❷，相反地，典醫監則位在中部堅平坊❸，來往惠民署與典醫監之間必須越過一個山丘。那座黃土覆蓋的山丘，在陽光的照射下會發出黃

❷現今之乙支路。
❸現今之堅志洞。

銅般的色澤，於是又稱為仇里介❹。

越過仇里介，走向典醫監的時候，總會先看到景福宮全景。每當這時候，長今總是期待著再度返回王宮的日子早點來臨，以慰自己全心學習醫術之苦。

內醫院女醫又被稱為是內局女醫，總共只有十二名的固定名額，因此比起全部有七十個名額的惠民署女醫，資格條件上的要求更加嚴格。長今下定決心，一定要被分派到內醫院去。

內醫院位於仁政殿西側，從位置上就可看出與宮外惠民署有著明顯的差別。以前在水剌間的時候，從來都沒有想過，位於通往後院小路上那小巧精緻的內醫院庭閣，日後會和自己結下這麼深的因緣。

「人以鼻吸入天氣，再透過穀食，以嘴吃下地氣。天地之氣在人體內產生變化，形成人氣。精神為陽，肉體為陰，中性之氣必須在其中毫無窒礙的循環不已，才不會發生問題。因此，生病就是氣的循環通路及經絡壅塞所造成的。經絡分布在五臟六腑之中，如蛛網般纏繞密布，只要沿著經絡一路尋去，最後就可以發現病因。所以找出循環通路經絡的血管，再設法疏通滯礙的氣血，就是針灸。」

一開始雲白只是說明針灸的原理，卻沒有教授實際扎針之法。對把脈或燒炙的教導情況也是一樣，讓想早日學習實技的長今焦慮不已。

這樣的情況維持了一個月，長今開始失去耐心，出聲催促雲白。

「如果是理論的話，我自己就可以學習了。我想跟大人學習實際治療病患的針灸術。」

「妳說理論可以自己學習？」

「是的。我可以從書中讀到，不是嗎？」

「是嗎？那麼妳回去讀讀有關脈診的內容再來吧。」

看來是想要教她有關把脈的方法。長今於是把《脈經》、《纂圖脈訣》等書仔細讀過後，再度去找雲白。

「大人，我已經讀過有關脈診的內容了。」

「哦？那麼這次回去讀讀有關本草的內容再來吧。」

本草即指以草根木皮爲根本的天然藥材，種類達數千種之多，但實際上運用在藥方裏的本草數，大概只有兩百到三百種。長今用心讀了其中比較常用的一百多種。

「大人，我已經照您的指示讀過本草了。」

❹韓語漢字發音與「黃銅山丘」同音。

「那麼，回去把針灸術讀過後再來。」

長今就照著雲白說的開始背誦有針灸經典之稱的《皇帝內經》，以及《靈樞篇》之「九鍼十二原篇」。

「大人，我已經照您的話，讀了針灸術的內容。」

「是嗎？那就把針灸的種類說說看吧。」

「是。針灸可分為鑱鍼、員鍼、鍉鍼、鋒鍼、鈹鍼、員利鍼、毫鍼、長鍼、大鍼九種。」

「說說看什麼是毫鍼。」

「毫鍼，取注於毫毛，長一寸六分，是刺鍼時可輕易插入，長時間放置，去寒熱痛痺在絡者。」

「妳把我問的問題答案，一字不漏全背下來了嗎？讀書還眞是用功啊。」

「那麼，您現在要教我針灸術了嗎？」

「所有的理論妳都已經知道，我沒什麼好教的了。妳就直接在我身上扎針看看好了。」

「大人，您哪裏不舒服嗎？」

「妳直接診斷看看不就知道了嗎？」

雖然曾經在濟州島上爲民眾看診扎針，但現在經過有系統的學習之後，反而不敢隨便出手，更不敢說自己已經熟練。

長德是在藥材上有長才的醫女，但也只教了長今基礎，中途就離開濟州島到漢陽去了。

長今猶豫再三，雲白反而自己伸出了左臂。

「我想知道妳扎針的順序。」

「是。先要把脈，找出合乎病因的經絡後，再取穴扎針。」

「知道得很清楚嘛。那要在患者的哪個部位把脈呢？」

「通常是接觸手腕內側拇指部位的橈骨動脈，但也可以依照情況選擇總頸動脈、淺側頭動脈、顏面動脈、深肱動脈、大腿動脈、膝窩動脈和正背動脈等部位。對於不易在手腕診得脈動的小孩子，則可以觸摸頭部太陽穴的部位。」

「脈診觀察的重點是什麼？」

「觀察脈搏跳動的次數、大小、規則和快慢等等，可以診斷出五臟六腑的一概虛實。」

「妳說得挺流暢的嘛。那好，那麼脈要怎麼把呢？」

「用食指、中指與無名指的指尖，輕輕按在手腕左右動脈的部位，增減指尖按住的力量以觀察脈象。」

「那妳當然也知道脈象的種類囉？」

「普通有浮、沉、遲、速、虛、實、滑、褐、長、短、洪、微、緊、緩、軟、細、伏、散等脈象，此外我知道還有其他幾種。」

「說得沒錯。那麼現在開始取穴吧。」

長今仔細地觀察雲白的氣色後，拉過椅子來坐下。與之前流暢無礙的應答不同，看起來不怎麼有把握的樣子。

「妳拖拖拉拉在做什麼啊？」

「大人，眞的可以依照我的診斷下去治療嗎？」

「不要惹我發火再說第二遍。」

長今被雲白帶著不耐煩的口氣嚇了一跳，不自覺地便將手按放上去開始把脈，立時感覺到跳動的脈搏。聽說所有臟器的狀況都可以從脈象的跳動感覺出來，裏頭蘊含著肝臟的情況，也有胰臟的情況，甚至連肺的情況都可以感覺得到。

仔細把過左右橈骨動脈，感覺到肝臟部位的脈動較弱，應該是飲酒過多，造成了發炎。判定肝臟功能降低，長今於是選擇適當的鍼，調節經絡以貫通窒礙的氣血。

雲白將自己完全交給了長今，只是專注看著她的一舉一動。把完脈後選鍼，取穴，所有的過程都非常流暢，絲毫不見一絲難色。長今取完穴之後，雲白才慢吞吞地改變姿勢坐好。

「打算開怎麼樣的處方？」

「是，正在想是不是要併用可以解酒毒，又可以清肝的解酒清肝湯。」

「知道了。以後妳不用再到這裏來了。」

雲白正色地說出這句話，同時並把長今扎在自己身上的針全都拔掉。

「大人這話是什麼意思……」

「就是我已經沒什麼可以教的，妳不用再來也可以的意思。」

「我無法理解大人的意思，我才剛開始學習，怎麼會沒有東西可教呢？」

「俗語說成材與否，從小處就可以看得出來。」

「您是說我沒有成爲醫女的素質嗎？」

「大言不慚的說自己看書就可以學會，小小測試妳一下，結果還眞是令人驚訝。連把脈都不會，就想搖著鍼筒扎針啊！」

「我都是照著大人您的吩咐去做的……」長今試圖辯解道。

「所以妳只要照著我的交代去做不就好了，以後不要再到這裏來了！」

雲白最後扣上扣環，猛然起身後便毅然決然的走掉。留下好像被當胸擊中一拳，全然不知所措的長今。滿心怨懟不說，還覺得莫名其妙，氣到連耳朵都燒起來了，長今不知道自己究竟做錯了什麼，惹得雲白如此大怒，因爲不明所以，所以更加感到狼狽不堪。

上完醫女的課後，腳步總不自覺地走向典醫監，但每次總也走不過仇里介，便又折返回來。要求雲白原諒不是難事，難的是自己並不知道錯在哪裏，要怎麼去請求原諒呢？什麼都不知道就跑去的話，只會招致更嚴厲的責罵罷了。

一想到雲白不再關心自己，就連看書的欲望也全沒了，對什麼事情都提不起勁來，無所事事的模樣，如同夏末的菜園裏只有艾草越長越高。就是這樣快速的生長，才會被稱爲艾草。

在艾草長大前，得把田地要好好的整理一下，長今拿了鐮刀出去，迎面便遇上一道。

「去哪？」

「嗯，菜園。」

「大熱天跑到那裏去幹嘛？不要去了，過來這裏坐下。」

一道拉著長今走到庭院那張涼板床上坐了下來，然後仔細地審視長今的臉。

「最近，妳的氣色看起來很不好。是不是讀書讀得太辛苦了啊？」

「因爲天氣太熱了，才會這樣啦。」長今不想讓一道操心。

「說什麼要研讀醫術，妳看妳還沒開始救人，自己就先累慘了。我看啊，該吃藥的不是別人，而是妳自己啊，妳該吃帖補藥了。」

「沒有啦，說什麼補藥……」

一聽到補藥兩個字，長今就緊張的跳了起來。但一道可不是隨便說說而已，幾天後眞的去抓了一帖補藥回來。

「我本來是想問問妳再去的，又怕會聽到妳嘮嘮叨叨阻止我，乾脆自己去找有名的大夫，要他們幫我開一帖藥。」

「讓你白費心力，好意我就心領了。我眞的沒什麼事，補藥就給德九嬸吃吧。」

「念醫術的人還說這什麼外行話，我是開了適合妳身體的補藥，給娘吃了有什麼用啊？」

「適合我身體的補藥？你怎麼會知道什麼藥適合我？」

「我當然是不知道啊，大夫問東問西一大堆，我只有乖乖的一一回答。」

「大夫問了些什麼？」長今也很好奇。

「別提了。問得好仔細，害我都緊張得流了一身冷汗。什麼身材高矮啦、臉圓還是長、手臂粗不粗、下身壯不壯、汗多不多、消化好不好啦……妳小時候不是老把裙子撩起來像個男孩那樣玩嗎？幸好那時候我看過妳的小腿才答得出來。不然我怎麼可能會知道一個姑娘家的下身長什麼樣啊？眞是，連那種事都問！」

大夫會詢問消化好不好是當然的事，但連身體構造都仔細探問，其目的何在委實令人不解。另外沒有把脈，只需詢問患者的外表與長相就可以開藥，長今也是首次聽聞。偏偏現在又不能去找雲白問個明白，眞是令人氣結。

一道可說是竭盡心力，全神灌注煎藥。大火先滾過一次後，再擺到文火上去慢慢的煎，一整天都守在火爐前。連自己的母親細碎叨唸時，也只咧著嘴笑不還口，手上的扇子更是從頭到尾都沒有停下來。

「娘！煎藥成不成，一半看誠心，燒焦了怎麼辦啊。」

如果母親的嘮叨太長，一道也只以這句話作答，心心念念仍在於不曉得藥效會不會減低。

「我早就跟你說過了啊，補藥給德九嬸吃就好了啊。」

「如果給娘補藥的話，更會遭爹埋怨，不行的。」

越來越覺得不好意思的長今隨口唸了一道一句，誰知道一道卻答非所問。

「爲什麼會被德九叔埋怨呢？」

「沒吃補藥，娘現在就已經夠有力氣了，再吃還得了。」

長今翻著白眼瞪他，一道還是一個勁兒的笑得燦爛。

「是大夫說的，煎藥最重誠心。開處方者的誠心；煎藥者的誠心；相信吃了藥就會痊癒的患者的誠心……這三者缺一不可，否則就算是天下名醫所開的處方也沒有用。這就是所謂的良藥啊。」

長今原本不怎麼專心聽著，腦中突然浮現鹿谷與水月兄妹的故事。

兄妹按照和尚的處方找到了九十九種藥材給母親服下，卻在採摘最後一種五加皮草時，不幸掉落山崖摔死了。

聽到那個故事時，長今曾經問過：「那麼那位母親在服用了九十九種藥草，但獨缺最後一種五加皮草後，還是過世了嗎？」

長德說那個傳說裏並沒有提到母親最後的結果，所以要長今自己去猜。然而那之後，因爲一些意外事情紛沓而至，就完全忘了這回事。

「應該是活下來了。」

看著搧著扇子的一道，長今突然像說夢話似的自言自語。

「什麼？」

「我是說鹿谷和水月生病的母親，後來應該是活下來了。」

「說妳身體不好，妳還眞是糟。瞧妳大白天睜著眼說什麼夢話啊……」一道嘖嘖出聲，一臉擔心地看著她。但長今腦中已經全被別的想法占據了。

「有個地方，我去去就回。」

「藥就快煎好了，妳還要去哪裏啊?」

「等我回來再吃。」

一道大聲嚷著追出來，但長今已經頭也不回地向前奔去。

在去找雲白的這段路程裏，腦中一直縈繞著五加皮草的故事。雖然缺少和尙處方中的最後一味，但那對兄妹的母親最後應該已經病癒，恢復了健康，因爲有兄妹倆尋找九十九種藥草過程中所灌注的誠心就夠了。九十九種藥草，再加上一味名爲誠心的藥草，兄妹兩人其實已經找足了一百種。不過一看到典醫監的紅瓦屋頂時，卻有點近鄉情怯的感覺。但如果連雲白都趕她走的話，就眞的沒有地方可以去了。所以不管會聽到什麼火爆的怒吼，一定要虛心接受才行。

長今在推門進去前先深吸了一口氣，依照王宮與民宅折衝樣式所建成的典醫監建築，唯獨今天看起來既高聳又疏離。只要雲白能夠再度接納她，就算對著典醫監的圓木樑柱，長今也甘心跪拜叩謝。

進去後發現雲白端坐在小小的斫刀前，正把藥材一一切片。

「大人！我錯了，請您原諒我。」

「……」雲白維持著沉默，也沒看她。

「我只求快速學成，完全忽略了該爲病患盡心盡力的誠心。」

沒有任何回應，但長今已經很慶幸沒有當場聽到怒吼斥責。

雲白把切得薄薄的藥材放到藥秤上去秤重，將計量尺度撥來撥去，小心翼翼的秤出毫無差池的藥量。

雲白不知是忘了要說話，還是根本忽略了有長今這個人的存在，只顧著專心秤藥。這眞的是以前大白天就喝醉酒，以藍天爲幃，大地爲床，打呼睡覺的那個人嗎？長今跪得雙膝發麻，但也只能忍耐著不敢亂動，耐心等待雲白開口說句話。

最後雲白終於開口，這時雙腿已經麻痺到沒有感覺的地步了。

「當個大夫，望、聞、問及把脈這四個過程缺一不可。也就是說觀察患者的氣色，直接聽患者的病情，再仔細詢問之後，才能開始把脈啊。而妳卻只依賴從書裏背誦而來的那些陳腐知識，完全忽略了望、聞、問這前三個過程。」

雲白現在又開始把用藥秤秤好的藥材放在同樣大小的棉紙上，從有卷柏、榆根皮、龍牙草、靈芝、龍葵和天蔘等內容來看，應該是治療與腸胃相關的藥材。

「書裏寫的內容都只是他人的經驗，別人的經驗聽得再多，最後也只不過能治療些小感冒而已。就算直接看過、聽過和問過，甚至把過脈後，也還要根據患者的狀態或體質才能下藥。而藥方可是有數十種不同的內容啊！妳卻完全沒有想到這一些。」

長今羞慚得抬不起頭來，覺得之前自己光從書裏學習到一些理論，就纏著雲白，要他快點教些祕訣之類的想法，眞是既愚蠢又丟臉。

「妳想爲什麼人會生病？」

「那是因爲……我學到的是，病因可大分爲二，精氣不足或是太過。」

「兩樣都說說看吧。」

「前者稱爲虛症，後者稱爲實症。而治療上也有不同。虛症要補，必須採取有助身體氣血循環的方法。實症要瀉，則要採用讓身體內不好的氣血排放出來的補瀉法才行。」

「說得沒錯，不過那還不是全部。就算是同樣的病，對某些人有效的藥，對其他某些人可能完全無效，甚至有害也不一定。同樣的飲食，大家一起吃，有的人會過敏，有的人卻什麼事都沒有。每個人五臟六腑虛實天生各有不同的，隨著體質的虛實不同，病情的發展也會出現不同的狀況，這些都只能靠個人的斟酌判斷才行啊。」

「您的意思是說因爲病因與病況不同，就算是患了同樣的病，也應該開不同的處方，是嗎？」

「沒錯，人的身體千千萬萬各有不同，依隨天生體質的特性，可疏通與自然調和。所以治療疾病就是疏通人體內部因失調所產生的滯礙，使氣血循環無礙啊！」

「不過，大人，要怎樣才能知道每個人不同的五臟六腑虛實，然後給予正確的治療呢？」

「那個道理我也還不知道，妳自己慢慢去發現及瞭解吧。」

長今聞言一驚，立刻抬起頭來。雲白的意思是說他相信自己有成爲醫女的能力嗎？像受到燒炙一般，胸口漫開了一股灼熱的感覺。

「與醫術相關的理論均內含臆測，什麼是對的，什麼是錯的，原本就很難判斷，唯有透過病患的病情好轉與否，才能有最後的結論。所以一面治療無數的病患，一面累積經驗才是不二法門。」

「這條路太遠了，簡直看不到盡頭。」

「只能靠自我領悟，別無他法。」

「什麼是自我領悟？」

「就是指從經驗中學習領悟到絕妙道理。」

「太難了。聽了大人的話，我更沒有自信了。」長今坦承。

「妳必須先去除掉內心裏讓妳不安的怨恨才行。」

雲白分好二十份藥量，完成一帖藥之後，才終於正視著長今說話。

「那時，我跟妳說不入虎穴，焉得虎子，其實只是爲了要激發妳的企圖心。但是如果把仇恨擺在前面的話，不要說去抓她們了，妳自己就會先被逮到啊。」

「大人您這哪是要我成爲醫女，根本是要我當個超凡的神仙吧。」

聽到這話，雲白哈哈大笑起來。

「去恨那些可恨的人本是人之常情，但是若想要成爲優秀的醫女，就得超越仇恨。沒錯，妳就成爲神仙吧！」

「您的要求太過無理了。」

「人如果一直陷在某種感情裏，最後就會影響到自身的命運與健康。若不斷累積憤怒與憎恨，那麼最先會傷害到的便是肝，然後連脾臟與胃腸都會引起病變，因爲我們的五臟六腑既是各自獨立存在的生命體，也會互爲影響，所以一定會導致造成這樣的結果。也因此，施恩於人即施恩於己。」

「施恩於人都很難了，何況要施恩於可恨之人，不是更難嗎？」

「容易的話，狗啦、牛啦、一般飛禽走獸不就都做得到了？就是因爲難，才會叫妳去做啊。心想如果是妳的話，一定做得到。」

雲白一番誠摯的期許，長今卻聽得喉頭哽咽，雲白終於接納自己爲弟子了。學習飲食的時候也是這樣，有幸遇見世上獨一無二的卓越導師。如今自己可以相信且依賴的人，除了雲白以外，已經沒有別人了。一想到這裏，心中不禁又開始感到不安，因爲過去凡是對自己投注感情的人，最終都極端痛苦的丟掉生命啊……

長今決定從現在開始，盡量不要和雲白見面，越是珍惜的人，自己越要小心以待。只有小心再小心，才得以長久保有。所以從現在開始，必須用心眼代替肉眼來看才行。就像對待政浩一般……

像吞下剛從火上烤過的石塊一般，有種又炙熱又沉重的悲痛在體內直直落下。

第二章　處方箋

受醫女教育期間，也不斷有考試。而長今並非每一次都能夠獨占鰲頭。五次中約有三次搶不到首席之位，對手是個名叫銀非的官婢。

銀非從入學首日起就很引人注目，不僅因爲在清一色全是年幼的童女中，她是唯一和自己年紀相彷的人，更因其健康爽朗的美貌與炯炯有神的目光，看得出來絕非尋常人物。

長今一眼就感覺出她是個比一般人都更出眾的優秀人才。然而，銀非平常總是保持距離，頂多行注目禮，絕不會主動過來攀談，或許是因爲長今畢竟是考試中與她爭奪名次的競爭對手也不一定。

又到了稻穗成熟，穀實飽滿的季節，長今卻只埋首在書中，送走了一天又一天。季節也好，政浩也好，甚至連自己都給忘了，就這樣心無旁騖的過著日子。只有在孤獨寂寞到無法忍受的地步時，才會爬上仇里介，平撫一下自己的心情。

從遠方眺望大殿全景，身爲水剌間宮女時期的往事又會從記憶深處湧上來，那裏還有好多自己所懷念的人。像是只要想起來，就會帶給自己力量的好友連生，滿懷愛心的閔尚宮、昌依、還有今英……然而那都只是無謂的思念，長今總會馬上用力的搖搖頭，甩掉腦中所浮現的臉孔。所有她摯愛的人已經都離開了自己，父親、母親、丁尚宮、韓尚宮……

他們全都一樣無法安享餘生，含冤而亡，而且與自己感情越深厚的人死得越悽慘，因此長今現在是眞的打從心底害怕，怕對什麼人動了情。

由衷的愛人，再從那份愛中獲得力量的過往歲月，如今回想卻如黃粱一夢。懷念的臉孔一浮上心頭就馬上又抹去，長今帶著這般孤獨的心情，度過了一季秋。

接著冬去春來，就在冰凍的大地又開始春意盎然之際，長今也要接受醫女教育最後一次的考試了。那天早上，德九父子還特地陪伴她來到試場入口。

「啊！這個……」

一道拉住了長今，從前襟裏掏出一個厚重的東西，原來是用槲樹葉片仔細包裹的糯米糕，德九隨即拿起其中一塊，放進長今的嘴裏並喃喃唸道：

「吃下這個，金榜題名。」

「德九叔，這次的考試不是會落榜的那種啊。」

「這樣嗎？那祝妳考上首席。」

「就是啊。不是聽說只有成績出眾的受訓生才能成爲內醫院的醫女？所以妳一定要考上首席哦。」

長今吞下口中咀嚼的糯米糕，點了點頭。

惠民署提調一出現，試場便安靜得連一根針掉在地上都聽得到。

「今日聚集在此的受訓生都是將來要成爲醫女、治療婦女病的人。其中也有必須爲嬪妃助產接生，爲本國王室帶來安定的醫女。俗語說：『寧醫十男子，莫醫一婦人。』可知比起治療十名男子，要治療一名女子是更困難的事情。因爲婦人病常常潛藏在隱密之處，不僅從外表看不出來，患者本身也不願出示於人。」

惠民署提調的開場白既冗長又嚴肅，與預料中一樣，考題應和婦人病有關。

「女人健康，全民百姓才能有豐饒健康的生活，因此今天最後的一道考題與生產有關，就是寫出治療習慣性流產女人的處方箋。」

場內開始出現竊竊私語，但長今毫不猶豫的開始書寫處方箋。然而過去的回憶不斷湧現，讓思緒一時有些無法集中。從一行都寫不出來就得出場的御膳比賽想起，到連生意外找出了母親的飲食日誌，還有與韓尚宮一起經歷的那些令人喘不過氣來的比賽片段……

當時認爲那每一步都是在成爲最高尚宮的路上所必須跨越的障礙，然而就在自己小心翼翼、一步一步艱苦的往前走時，卻被人從後面推了一把，掉落水中。不但韓尚宮被巨浪所吞噬，連自己也是在九死一生中，才僥倖得以生存下來。

現在再也不會傻傻的被陷害，也不要再失去所愛的人了，長今下定無比堅定的決心，斟字酌句，沉著鎮靜的寫下答案。

在公佈考試結果之前，惠民署提調先把所有受訓生集合在一起，大聲的宣布：

「妳們都知道，凡是考取首席的醫女，便可獲得在內醫院値勤務的資格。然而此次考試中，擔任審查工作的醫官們卻意見紛擾，直到現在都還無法確定第一名的人選。」

場內到處響起了議論紛紛的聲音，長今只是鎮靜地望著惠民署提調。

「以濟陰丹爲主要藥方寫出的兩份處方箋都很優秀，但其中之一有點特殊，想要直接詢問，以確定結果，才會把妳們全都聚集在這裏來。徐家長今！」

正如所料，被叫到名字的長今毫不驚慌地向前一步。

「在。」

「先用大家都聽得見的音量，把妳寫的以濟陰丹爲藥方的處方箋內容，再說一次看看。」

「是。京墨、蒼朮、香附子、熟地黃、澤蘭、人蔘、桔梗、蠶布、石斛、藁本、秦艽、甘草、當歸、肉桂、乾薑、細辛、牡丹皮、川芎、木香、茯苓、桃仁、川椒、山藥、糯米、大豆黃。」

「說到京墨，那是墨的一種，以墨爲藥方，倒是挺特殊的。」

「濟陰丹是用來滋補陰寒體質的丹藥，對流產婦人很有效。特別放入墨的原因是爲了要去除子宮裏不好的氣血。墨之中又以京墨爲最好，所以才會放入處方中。」

「沒錯，墨的原料是松樹。可活千年的松樹不管是松葉、松脂、松皮或松花粉，全都可資利用，毫不浪費。那麼，所有的用法妳也都清楚嗎？」

「是的。傳說將神仙食用的松葉放入嘴裏咀嚼，可解疲勞。曬乾的松葉對腳氣病與消化不良有很好的療效。松脂可用來治療皮膚病，做爲製作膏藥的原料，新芽葉可用來化痰。松樹種子又名海松子，常食則可滋補強身。另外做爲飲茶點心材料的松花，可治療心與肺的相關疾病，松花粉與油菜泡酒飲用的話，可控制腦內腫瘍。最後松樹嫩芽還可用於皮膚美容，去除流產婦人臉上的黑斑。」

「妳寫的是對流產婦人非常有用的處方箋啊。那麼，妳知道什麼是茯苓嗎？」

「那是靠吃松脂存活的一種菌類，從松樹根裏流出來的松脂在地底下與菌類結合，成爲塊狀之物，即爲茯苓。外皮粗糙，裏面或白色或粉紅。裏爲白色者稱白茯苓，粉紅色者稱赤茯苓。對於患有胸口疼痛疾病，或經常憂心、精神不安定的人，具有安神的作用。」

「嗯，去掉了裏面的京墨，受訓生銀非寫的處方箋內容也與妳的非常類似。無論再怎麼高明的處方箋，如果不能治癒病患的話，也不過只是一張紙而已。那麼妳覺得眞正重要的是什麼呢？」

「是，處方箋只是處方箋，並非藥本身。我覺得唯有開處方者的誠心，煎藥者的誠心，還有病患相信服了藥就會痊癒的誠心等三者合一，才能讓處方箋成爲眞正治病的藥。」長今把從一道那裏學來的哲理做了更徹底的詮釋。

「沒錯，那麼妳開的處方箋該如何服用才好呢？」

「把我剛才說的那些藥材全部混合，製成藥丸後，用溫酒或放在醋裏與滾水同時服用，每回一粒即可。」

「酒可以讓藥效快點發揮，但是爲什麼還要在水裏加上醋，其原因何在？」

「醋在清除體內的毒，即濁氣時，效果甚佳。」

「沒錯，正是如此。」

「依處方做出的藥丸一定要在食前溫服才可。」

「爲什麼一定要那樣呢？」

「《神農本草經》裏說，病在胸膈上，則食後服藥；病在心腹下，則食前服藥。大部分的藥都需要溫服，只有治療熱症，使用寒藥時，例外需要冷服。反之如若治療寒症，使用熱藥時，則以溫服較爲適當。」

對於長今的回答好似正合心意一般，惠民署提調臉上露出滿意的笑容。

「知道了。因爲平常甚少有使用京墨的關係，才無法一下子就決定將妳的處方箋定爲首席。」

提調環視了一遍惠民署其他的醫官，以眼神交換意見後，決定將長今寫的處方箋定爲首席，銀非爲二等。雖然一顆心安了下來，長今卻笑不出來。因爲現在才是開始而已，到昭雪韓尙宮的沉冤爲止，還有很長的路要走。

「我對於妳的聰慧非常賞識，妳是否願意留在惠民署？」

「謝謝大人賞識，但請您原諒，我還是希望成爲內醫院醫女。」

「嗯，應該是這樣吧。拿到首席的醫女通常都會被派進內醫院，我只是想或許妳會願意留下來，才抱著奢望問一聲。」

話雖那樣說，但看得出來還是有點不捨的表情，不過惠民署提調馬上又從惋惜中恢復過來，拔高音量對著受訓生開始訓話。

「大家聽好！妳們已經完成了訓練，現在正式成爲醫女，治療病患。有人可以進入內醫院，看護後宮娘娘們健康，也有人留在惠民署這裏，擔當照顧貧窮百姓，還有人回到出生地，負責治療地方鄉親。不管到哪裏去，治療什麼人，更不管其身分地位，對生病的人一定都要一視同仁，盡全力照顧，這個使命時時刻刻都不能忘記。」

惠民署提調的訓示非常嚴厲，但長今卻兀自沉浸在自己的思緒中，只想著又可以再度返回宮中，其他什麼聲音都聽不見了。那個地方有連生、有回憶，最重要的，還有未能實現的悲悽夢想……

現在，齒輪又再開始轉動了。

一站在通往內醫院的昌德宮誠正閣前，內心便感慨萬千。手抵額頭，探望鄰近其他的小小樓閣，情懷無限。流傳久遠之物，雖然已經老舊，但就那麼自然地能與四周的景致相融合。

最前面正中的建築物有著引人注目的寬闊大廳，前面連接的房間是史官房，因國君外出時，必有史官隨行，所以也提供他們個別停留的房間。

醫官們勤務處鍼醫廳的建築物比想像中來得小，旁邊則被稱爲醫藥同參廳。所謂醫藥同參指的是並非經過正式醫科考試分派到內醫院，而是從醫術精良或地方上的名醫當中拔擢後，送來此處的人。

內醫院胥吏和醫女的房間也附建於此，聽說宿值房在敦化門外附近。內醫院醫官們爲了應付緊急情況的發生，必須輪番宿值，所以才會在敦化門外備好必需的宿值房。

東邊與西邊正面相對的兩棟建築物稱爲藥材倉庫，爲了要儲存所謂的「江心水」這種特殊的水，另備有水庫。漢江水中最純淨的水，即稱江心水。

不管怎樣，設有書庫是最令人高興的事了，聽到說裏頭收藏有各種醫術，不禁又想起了政浩，但長今又馬上強迫自己將這影像從腦裏清除掉。只要還活著，總有一天會再見面，就算再也見不到面，好像也還可以撐下去。

只要知道他還活著，自己也就有足夠的勇氣活下去。和韓尚宮死別後，自己不是仍存活下來嗎？所以現在就算和政浩生離，盡量忍耐，相信也是忍耐得住的。雖然思念教人心痛，但只要還有一口氣在，就一定可以活下去。活下去！長今跟自己說：一定要好好的活下去，才能完成該做的事情。

在面對圍牆的廣場角落裏，有搗藥用的石臼曝曬在春陽下。長今受陽光吸引，走到了廣場中央，陽光曬得人全身暖洋洋的。頂著太陽往內醫院望去，只見誠正閣飛簷上的鳩頭與龍頭像在鬥氣般，彼此背對仰望天際。不知道爲什麼，熱淚就在一瞬間按捺不住奪眶而出。

無暇思及其他，日子在忙碌中度過。光是切藥、煎藥和管理藥材，就覺得春日過短；成爲醫女後，還是得繼續接受各種教育。但每回結束一天的日課返回處所的途中，視線總不自覺的會朝水剌間的方向看去。

眞想馬上就跑過去緊緊地握住連生的手，把心裏堆積如山的話全都告訴她，更想什麼話都不說，兩人抱頭痛哭一場。就算只是與連生相擁而泣，彷彿就能稍稍化解心中的怨恨。然而，每思及此，長今便又會馬上加快腳步，走回內醫女的處所。

此時孤獨的感覺總油然而升，母親離開人世，自己頓成失親孤兒時，恐懼的感覺更甚於孤獨。對比於已經一無所有、再也沒有什麼可失去的現在，雖已不再恐懼，但孤獨的感覺卻深入骨髓。過去以爲只要回到宮裏，就會找回自己，重獲安適感，如今才發現這種想法眞是大錯特錯。所有熟悉的人事物大都消失之後，王宮感覺起來好陌生。

這陣子，到香遠亭後園的柏樹下成了她唯一的樂趣，找尋韓尙宮與母親在某個春天一起埋下酸醋的柏樹，看那開滿樹梢頭的黃色小花。因爲木材可用來製造線香，又被稱爲香木。而枯萎後的柏木比起活著的時候更沉更香，遠遠就可以聞到香氣。

望著砍伐後剩下的殘株，彷彿又看見兩雙白皙健康的手，兩個年少天眞的宮女約定著遙遠的未來，努力埋藏一罈酸醋。想像著當時的情景，長今的嘴角不禁浮現了微笑。

彷彿也聽見了韓宮女與朴宮女咯咯的笑聲，猛然驚醒，往四周一看，笑聲嘎然而止，只有春陽靜靜的普照四方，眞是反映心情的慘澹春日。

埋藏了酸醋之後，母親就被趕出宮，失去了一切夢想，韓尙宮也失去了密友，所以那天她們埋藏的或許不是酸醋，而是兩人的夢想也未可知。數十年後，她們的女兒與徒兒，再度找出了那瓶醋，並將之用做料理，那道菜後來在最高尙宮的比賽中獲得勝利，也可以算是替她們圓了夢想。

如今兩人均已作古不在人世，只留下她們的女兒，她們的徒兒。長今只要想到這點，就更堅定自己的決心。一定要讓母親和韓尙宮死後也能留下更沉、散播得更遠的香氣。爲了達成這個目的，就得先昭雪冤屈，而在那之前，還得有某個人先站出來說出她們冤死的眞相。

如果長今自己不堅強的站出來，就再也沒有人可以做這件事了，這也是她非得活下去不可的理由。不光是苟延殘喘的活著，而且還一定要成功，所以，絕對不可以被孤獨寂寞擊垮。長今決心要拋棄所有的懷疑、軟弱與搖擺不定。

但意外的事情發生在長今以內醫院醫女身分，努力札根的某個春末夜裏。天地間飄散著栗子花的味道，不知是爲栗子花的芳香所醉，還是太過疲勞，在如夢似幻的情況下，長今消化著忙碌的日程。才剛回到處所，想要躺平疲累的身體，門外卻傳來呼叫的聲音，從沒見過的生角侍害羞地低著頭。

「妳是誰啊？」

「我是在針房工作的生角侍，御醫女吩咐，要我請您馬上到瑞蕙台去。」

「瑞蕙台不就是後苑的石台嗎？這個時間到那裏去要做什麼？」

「詳細的情形我不清楚，只是接到吩咐，要我請醫女您到針房。」

「不是說要去瑞蕙台嗎？幹嘛還要先到針房去？」

「御醫女吩咐先帶醫女您去看看要換穿的衣服。」

心中升起奇怪的感覺，但在不明就裏的狀況下，也不敢貿然違抗御醫女的命令。跟著針房生角侍過去的長今，心中其實已快氣瘋了，因爲憑藉猜想，再看到遞過來要自己換穿的衣服，無論質料或顏色，分明不像是醫女的診療服。

事情實在是太奇怪了，但長今還是默默的換穿。決定先見過御醫女，等聽過事情原委，再判斷下一步該怎麼做。

換穿上的衣服質料是綾羅綢緞，腳上的鞋與身上的裝飾品也是一般士族家婦人才會穿戴的奢侈品。特別是王宮裏對顏色的規範十分嚴格，這一身朱紅色眞教人吃驚。

就算不知道其他的事情，至少也聽過朝廷對於妓女的服裝打扮十分寬裕與放任。雖然身分卑賤，被人藐視，但是一般女人一生當中只有在婚禮時才可能享有一次的豪華打扮，對妓女而言卻是家常便飯。

先不管長今心裏怎麼想，穿上綠衣紅裳、挽了髮髻的她，眞可謂儀態萬千，然而插在髮髻上的花冠與前襟內的鍼筒，在在說明了她藥房妓生的身分，甚至連唇上都塗滿了比身上所穿的大紅裙子還要鮮豔的胭脂，眞是人見人嘆的美貌。

一字型袖口的袖子，向右繫緊的裙子，下襬隱約露出裏面的內衣，短短的上衣下面故意露出白色裙子的腰帶，腰帶上並繡滿了華麗的紋飾，重疊穿著好幾件以強調出臀部……不管怎麼看，都不能說是醫女的樣子。

到了瑞蔥台，一看之下更是差點爲之氣絕。池塘周圍燈火通明，彷若白晝，沿著雕龍欄杆走上去，中間放了一張大桌子，霎時杯觥交錯。席間不僅有京妓和醫女、連樂工、舞童、吹鼓手，還有細樂手一班人，眞是令人注目。從規模上來看，應該是很重要的筵席吧。

「怎麼這麼晚才來，還不快行禮。」

一看到長今，御醫女就疊聲催促著，席間其他男士也因爲這麼一聲叫喚，眼光紛紛轉向了長今。

「呵，還眞是個大美人呢！要不是大監說全部叫來，可就要錯過了。」

「說得也是。愣在那裏幹什麼？還不趕緊入席，爲內贍寺正大監斟酒！」

那位努力把酒醉渙散的目光集中，一臉淫笑上下打量著自己，人稱內贍寺正的不就是朴富謙嗎？長久以來就依附著吳兼護，以崔判述商團馬首是瞻，謀取莫大的私利，滿足私欲，何時又打通了關節，坐上了內贍寺最高位置的寶座？

內贍寺乃負責管理供應各宮殿的日用飲食，賞賜二品以上官員酒與下酒菜，並提供倭人、女眞人飲食與織布的官方機構。從其所擔當的勤務內容來看，就知道是個不難謀得龐大財富與權力的官位。

長今目不轉睛地瞪視著朴富謙。

「大監在等著哪！還不快過去大監旁邊坐下來侍候。」

御醫女焦急的大聲斥責著，然而長今卻不爲所動。不管爲母親與韓尚宮昭雪所受的冤屈有多麼重要，也絕對不爲朴富謙斟酒，相信死去的那兩位親人一定也會同意自己的做法。

「哎呀，還不快入座，站在那裏幹什麼呢？」

「好了。那孩子是第一次到這種筵席上來吧?」

「是的。」

「大概是在害羞吧。」

「請您原諒,大監。」

「妳叫什麼名字啊?」

沒有理由不說出自己的名字。

「徐家長今。」

「哦,長今啊!我想喝喝妳爲我斟的酒,醫女斟的酒對身體一定好,不是嗎?」

「我是不會斟酒的。」

「爲什麼?」

「因爲不管是藥還是酒,獻上者的心意才是最重要的;但在我所斟的酒裏,並無誠心,只有痛恨。」

「妳說痛恨?」

「是的。」

「我是這個國家的工曹判書,一個卑賤的小小藥房妓生給我斟酒,不說高興,竟敢說痛恨?!」

「因為我的誠心只用來奉獻給病患，而不是拿來奉獻在私人酒宴上，所以才會那麼說。」

「妳說什麼？」

朴富謙大怒的踢翻面前的桌子，震天動地的聲音把御醫女嚇得從座位上跳了起來。但長今不管眼前的一片混亂，逕自越過雕龍欄杆，頭也不回地奔離瑞蔥台。

第二天被御醫女叫去一看，赫然發現銀非也被叫進房間。本來依慣例只有首席一名可以在內醫院服勤，但聽說這次卻破例，連銀非在內共錄用兩名。那是因為銀非不僅在受訓期間成績優異，後來在考試時所寫出的處方箋，連惠民署眾醫官也認為與長今的難分軒輕之故。看中銀非才能的內醫院裏，也很早就流傳著已內定銀非的傳聞，不管如何，長今並不討厭與一同受過訓的銀非成為競爭的對手。

「就算現在能夠馬上把妳們兩個人趕走，我心裏還是不會痛快。膽子真大，昨晚那是什麼筵席，竟然也敢逃走？」

御醫女一副真的打算馬上就趕走兩人的樣子，勃然大怒，憤恨難消。

「那是王上為了獎勵朴富謙大監的功勞，親自賞賜的筵席。結果被妳們兩個賤人弄得酒興全失，大監為之震怒，現在妳們兩個打算怎麼表達歉意，平息怒氣呢？」

光看御醫女凶狠的目光，就可以想像她爲了平息前一天晚上的事，忍受了多少屈辱。但覆水難收，也由不得兩人後悔，剩下來的就只是要如何才能甘心地接受懲罰而已。

「妳們兩個才剛成爲醫女，還不懂得分辨事理，才會犯下這樣的大錯。這次我就原諒妳們，但下次再有如此輕率胡爲的行動，我就把妳們送去當地方妓，這點妳們最好牢記在心。」

所謂地方妓是指官妓之外的另一種妓女。隸屬官廳的妓女分爲京畿與地方兩種，地方妓中若有姿色出眾、才能超群者，亦可能被拔擢爲京妓。兩者的差別只在於隸屬的區域不同而已，但爲人斟酒、跳舞娛人等工作並無任何不同。

「我說的話都沒聽見嗎？爲什麼不回答？」

「不管御醫女您怎麼說，我都絕對不會爲人斟酒。」

被這句話嚇了一跳的可不只是御醫女而已。

長今懷疑自己的耳朵聽錯了，轉頭看向銀非。

「妳說什麼？」

「我不是爲了替別人斟酒才拚命努力想要成爲醫女的。」

「妳這無禮的東西，難道忘了醫女的身分是賤民階層嗎？對賤民來說，自己的意願算什麼？士族階層叫妳做什麼，妳就得做什麼，這就是賤民的本分！妳是不知道賤民如果反抗士族的命令，隨時會被處死，才膽大妄爲的說出這種話嗎？」

「若要替男子斟酒才能活下去的話，那我寧可選擇死。」

「妳……妳說什麼？」

御醫女已經快氣瘋了，但銀非卻一點兒也沒有退讓的意思，那番理直氣壯、脫口而出的話，連長今也不禁爲她擔心。以那種不屈不撓的個性，成爲醫女後的日子絕對不會平順。

見此路不通，御醫女收起強硬的表情，改換溫柔的語氣，開始安撫她們。

「妓女與醫女同樣隸屬官廳，所以不僅同爲賤民，也都具備了爲國服務的共同點。妓女是以歌舞娛人的技藝服務，醫女則以治療病患的技藝服務，兩者的身分與地位並無不同。不過叫妳兼做一下妓女的事，就值得妳以死抗拒嗎？」

「就算您說這兩種賤民的身分都必須負有爲國家服務的責任，但爲病患治療與斟酒兩件事間的差異卻有如天地之別。再者，王上也曾經嚴格禁止醫女參與酒宴。」

「那只是項法條，實際的情形是不一樣的啊！」

「那麼，該受罰的人並非拒絕斟酒的我們，而是違抗王上命令的士大夫們。」

銀非唐突的回答讓御醫女只能閉上嘴不再開口。

長今用混合感嘆與尊敬的眼神愣愣地看著銀非。

「不管怎樣，我身為御醫女，妳們不聽我的話擅自行動，就該受罰。從今天起妳們給我煎三天的藥。」

如果說是三天三夜只是做煎藥的工作，並非什麼太困難的事，銀非也感到十分意外的轉頭與長今的目光相接。

「三天三夜都不准睡覺，要一直守在湯藥罐前才行。如果被我發現妳們有一時半刻打瞌睡的話，馬上就把妳們送去當地方妓，到時可不要怨我。」

御醫女言至於此，彷彿才終於劃下了句點，銀非也鬆了一口氣。難怪處罰乍聽之下不是那麼重，原來還附有刁難的但書。

從御醫女的房間出來後，銀非毫不猶豫的就朝著煎藥房走去。坐在湯藥罐前的醫藥同參跟尚藥官兩人，不約而同的瞧著這兩名走進來的醫女。

「有什麼事啊？」

「御醫女要我們這三天期間都不可離開湯藥罐前，得一直守著。」

回答尚藥官詢問的人也是銀非。

「那是我這個尙藥管轄的事情，不過御醫女爲何會對妳們下這種命令呢？」

「我不太清楚御醫女的深意，只吩咐我們三天三夜都不准打瞌睡，守著湯藥罐。」

「怎麼會那樣！看起來御醫女是在處罰妳們。學習煎藥的過程也是很重要的，那就趁現在好好學習，熟悉熟悉吧！」

尙藥官呵呵笑著，又回頭繼續原來的工作。

反正煎藥的重要性從內侍組織的結構來看也可以想像得到。內侍官中以照應王上飲食的尙膳地位最高，接著是管理王族酒類的尙醞，再來就是準備與煎煮王上湯藥的尙藥，最後是尙茶，即處理茶飲的內侍。

因爲飯、酒、藥和茶全是經口食用之物，所以毫無例外地，全都得在最近王上身邊侍候的內侍嚴格管理下做最妥善的準備。

內醫院要上奉藥物給王上的過程也必須經過嚴格的步驟，這是爲了防範野心人士與醫官勾結所定下的規矩。先得由內醫院都提調與三名醫官輪番把脈，再各自說明診脈結果。是否進藥或進藥內容也必須與三名醫官商議後，才能決定。另外御醫和醫藥同參也會在此時同席討論。

整理出來的意見由御醫中階級最低者準備處方箋，提交給都提調，都提調再將此處方箋上呈王上，徵詢是否要進藥。大部分時候王上都會下令依據處方箋備藥上呈，所以接下去便開始快速的準備藥材，進行煎藥的步驟。不過王上要服用的藥物也不能隨意準備，必須由內醫院提調與御醫一一檢查藥材的情況與準備的過程。是否錯用了品質不佳的藥材，還是有某些異物掉落其中等等，都是他們必須在一旁嚴守的原因。

煎煮湯藥期間，怕會發生問題，也必須派遣內醫院的一位醫官全程監督，煎煮完成後，等到進藥的命令下來，還必須三名內醫院提調先試嘗看看。

確定全無問題後，才將藥裝入湯藥碗中，再將寫著藥名的白紙貼在碗蓋上。盛盤上除了放有裝了藥的湯藥碗之外，還有支小小的湯瓢，另外，服完湯藥後，爲了沖散口裏的苦味，還準備了冰糖紅棗，以及拭嘴的白色棉織絹布一條。

銀非不管對方是尙藥官或醫藥同參，還是內醫院提調，都毫無所懼，想問什麼就問什麼，長今發現只要跟在旁邊不離開，就自然而然可以一起學到很多的東西。

連煎藥的容器以蠟石湯藥罐最好，也是這時才聽說。另外還學到了先把藥材放進空湯藥罐裏，再注入滾水，浸泡一個時辰左右的煎藥祕訣。

水量大概以一碗水煎一帖藥最爲適當，但每次並不是只煎性質相似的藥材，所以基本上可以自由調節水量，以覆蓋藥材到多出兩節手指頭的程度爲宜。

普通先用大火將水煮滾，然後再用文火煎一個時辰左右，如果看到水又快滾了，就先倒進碗裏，再重新放水煮滾，這個也是首度聽聞的方法。等過了大約一個時辰之後，藥材殘渣全部浮上水面了，便用麻布袋輕輕的過濾掉，再與之前先倒進碗裏的藥液混合，分三次服用，可說是最理想的方法。

過程之所以如此繁複，是因爲要同時顧及揮發性快的藥材與需要長時間熬煮藥材的成分，讓藥性得以充分發揮之故。首次煎藥時，可以提煉揮發性藥材，二次煎藥時則充分熬煮出需要長時間才能釋出的藥材成分，這樣才不會錯失任何一種藥材的藥效。一般來說，礦物性藥材需要最長的時間煎煮，其次是動物性藥材，最後則是植物性藥材。

若用的是植物中的花葉部分，如薄荷、藿香、小葉夏枯草、荊芥、佩蘭之類的揮發性藥材，煎煮的時間便最短。然而像肉蓯蓉、熟地黃、附子和黃精等藥材，則須以長時間煎煮較佳。

光是煎藥一件事就有那麼多的學問，也必須花費很大的功夫。更何況是內含五臟六腑，超過兩百根骨頭與六百餘條筋肉，和數不盡氣血之人體？到底要到何時才能全部學完，並熟悉一切呢？

雲白說每個人的體質不同，必須隨著各自的特性，與自然疏通，那可能到死都無法將全部的學問融會貫通，應用自如吧。飲食還可以隨便嘗試，頂多也只是腹瀉罷了，不會有太大的後遺症。但牽涉到生死，就不能隨便以人爲對象來進行試驗了。

雲白說必須靠自我領悟，長今也眞的好想領悟其中的奧妙，然而以自己淺薄的經驗，何時才能領悟高深的道理呢？眞是個遙不可及的夢想。

第一天就在學習煎藥的方法中過去了。眼皮則從第二天一大早開始往下沉。白天極力忍耐還撐得過去，但到了夜裏，瞌睡就眞的變得難以忍受。內醫院提調與醫藥同參隨時會進來查看，有時尙藥官也會進進出出，如果打瞌睡的話，馬上就會傳到御醫女的耳中。

「好睏，我們來聊天吧。」

這是銀非首次正式跟長今說話，也不先徵詢對方的同意，就不管三七二十一，用平常同伴間閒聊的模式說起話來。事實上這個人就算在御醫女面前，也是一副理直氣壯的模樣，所以如果還跟她計較禮儀，反而顯得失禮了。

「好啊，早就想跟妳聊聊天了，卻一直到現在才有機會。」

「我要對妳另眼相待了。」

「什麼意思?」

「受訓期間，我一直在觀察妳，看妳似乎對什麼都不關心，只知道用功。」

「妳還不是一樣。」

長今馬上接口頂回去，讓銀非哈哈大笑，但臉上的笑容馬上隱去，換上一副悲壯的表情。

「我死也不會給男人倒酒。」

「我也是。」

「己卯士禍時，我父親遭到流放，之後更在流放地被賜死。母親和我則被貶爲全羅監營的官婢。有一天母親被叫喚到一個酒宴去，回來的時候已經像個死人一般，就是因爲拒絕以身侍候，所以被降罪打得半死。我像發瘋似的在山裏和田裏到處尋找藥草，但大熱天裏，傷口一下子就化膿破了，母親就這樣含恨而終。我是母親的女兒，所以絕對不會給男人倒酒。」

光看銀非的眼神，就可以感受到她當時的憤怒與悲哀，長今因爲憐憫與同仇敵愾，一下子就對銀非產生了好感。

「眞是慚愧，要不是在那裏看到熟識的臉孔，我可能沒法像妳那樣理直氣壯，一直堅持下去。」

「以後那種事還是時常會有，所以一定要趁現在便貫徹我們的堅持。就算是御醫女也不能隨便把我們趕走或殺了。再說即便她覺得棘手，也不可能每次都叫喚會惹禍的醫女吧？所以只要我們堅持下去，早晚她一定會放棄我們的。」

「聽起來很有道理，眞是好方法。」

銀非不僅倔強，而且很聰明。在醫女生涯上有一個這樣的朋友，定然能夠成爲莫大的慰藉，心中突然有種獲得千軍萬馬濟助般的踏實感。然而，睏意卻無論如何都抵擋不住。到了第三天，爲了不睡著，兩人只好互相捏對方，再不然就往臉上潑冷水，甚至把湯藥罐頂在頭上，可是實在忍不住打盹驚醒過來一看時，常會發現兩人額頭相抵的打著瞌睡，又心驚又好玩。令人訝異的是，即使只是短暫的打個盹，就能保持一陣子的精神，疲勞全消。不管幾天幾夜不睡，只要能夠深沉入眠，就算只是一瞬間，彷彿也抵得上平常一個時辰的休息。

打了個盹之後，銀非立刻張大了嘴，像要裂開似的打了個好大的呵欠。而且都還等不及合上呢，馬上又一臉厭惡的開口說話：

「那天我們去過的那個瑞蕙台，妳還記得嗎？」

「嗯。」

「那是當今王上即位後，才中斷工程的。如果按照計畫完成的話，規模應該更加宏偉。」

「妳怎麼知道?」

「聽說本來石欄杆打算蓋到十尺高，寬度也要可容納千名座位的大小，台前的池塘還要挖掘十呎左右的深度，以便讓船順暢進出。」

「還好工程中斷了。如果眞的照計畫完成的話，一定會比現在舉行更多的宴會，那我們就會更常被叫去了。」

「眞的是萬幸至極。不過荒淫的燕山君把台子建得那麼高，池塘挖得那麼大，大概是想要享受蝶行遊戲或螢行遊戲吧。」

「那是什麼?」長今不解。

「聽說是大國皇帝喜愛的遊戲。春天舉辦蝶行遊戲，夏天則舉辦螢行遊戲。蝶就是蝴蝶，螢就是螢火蟲，這樣知道了吧?」

「蝴蝶和螢火蟲要怎麼玩啊?」

「讓宮女一手拿著扇子牽著手登上船，然後等船漂浮在池塘中時，皇帝便打開蘆草燈籠，讓蝴蝶與螢火蟲自在飛舞，看牠們最後停在哪把扇子上，當天晚上，就讓持那把扇子的宮女承受聖寵。」

「那瑞蔥台沒有按照計畫完成，眞可說是千幸萬幸啊。」

「就是因爲每晚那樣遊玩，大國皇帝才需要不斷的補充精力吧。要不要告訴妳他們都用什麼方法？」

「妳啊，眞的是什麼都知道。」

「是在全羅監營裏，從共事的官婢那裏聽來的啦。聽說，要把一種只有在龍侯山山腳才有的鯉魚，用木棒打得半死，鯉魚流出淚後，再接下魚的眼淚喝下去，就可以恢復充沛的精力。」

「胡說八道，怎麼可能用木棒把鯉魚打得半死呢？還有，鯉魚怎麼會流淚呢？」

「我也是聽來的，不知道是不是眞的啊。先不管那麼多，接下來還有呢。聽說把魚放在長頸瓶中拿給狐狸吃，狐狸因爲看得到吃不到，就只能流口水。狐狸的口水稱爲狐涎，聽說也是精力聖品，所以連狐狸的口水都願意吸來吃。」

「簡直讓人無法置信。」

「如果那樣都不能得到滿足的話，聽說最後還有一樣東西可以吃。妳猜是什麼？」銀非卻越說越起勁。

「蛇？」

「不是啦，是覆盆子。」

「妳是說野草莓啊？」

「對呀。聽說每天晚上都要吃一掌左右的野草莓，野草莓可以滋養補身啊。」

「我也是學過了才知道，野草莓在治療男性疾病上相當有效。」

「聽說用來治療婦人疾病也很好，不是有人說可以拿來治療不孕嗎？」

「眞的？」

「可是啊，現在看起來，妳的嘴唇就像野草莓一樣紅耶。」

長今難爲情地笑了笑不說話，卻不自覺地連耳朵都紅起來了。

「紅紅的就好像紅梅花一樣啊！」

「紅梅花？漂亮嗎？」

「當然漂亮。」

「那是漢陽很難看到的花啊。」

「在全羅監營的時候，母親常常看著紅梅花這樣說，她叫我要成爲一朵紅梅花苞，就算在天寒地凍，還是可以穿過積雪，凜然開出。說女子一定要那樣才行，大概是想到去世的父親才會那樣說吧。」

長今聞言沉默了。朝鮮的女人不論是什麼身分，一生都只能侍奉一個男人。如果失去了那個男人，這個女人的生命也就算是結束了。然而，銀非母親交代：「就算是到最後的瞬間，也要懷著女人的堅持活下去。」這話聽起來卻又顯得格外貞烈。

寧死不以身侍候他人的女人讓長今心生悲涼之感，長今想像銀非的母親雖然像開花的紅梅般活著，但爲了堅守自己的貞操，到後來卻寧願拋棄生命……那熾熱又純粹的心，是自己現今不敢想像，也無從猜測的世界，而銀非果然是有其母必有其女，個性同樣剛烈。

「怎樣？現在瞌睡蟲跑掉了吧？」

「跑掉但又回來啦。」

兩個人就像小女孩一樣，壓低了聲音咯咯笑著。看來再過沒多久，便又到了野草莓成熟的季節。長今發現自己直到現在都沒有做到跟母親的約定，要摘了野草莓去祭拜她。前年夏天是因爲人在濟州沒能去；但去年夏天怎麼也沒有想到呢！

當時剛好被雲白罵得正慘，之後便埋頭苦讀醫術，就那樣錯過了野草莓的成熟季節。看來想到的時候，自己的情況就不允許；等情況允許的時候，卻又因種種事宜而沒想到，究竟要怎樣才能彌補自己的不孝？

專心想著過往的一切，不自覺的便嘆了一口氣，銀非則發出感性的呼喚。

「長今啊！」

「嗯？」

「我們來約定。」

「約定什麼?」

「我們來約定,不管發生什麼事情,就算不做斟酒之類的事,我們也一定要成爲絕對不會被趕出去的優秀醫女。」

「好啊,雖然不容易,但只要和妳一起的話,好像力氣就湧出來了。」

「我一定要成爲優秀的醫女,如果從這裏被趕出去的話,就得再度成爲官婢,或者被送去當地方醫女,成爲士族小妾之類的。我眞的不想、也過不下去!」

「我也是一樣。可是不管我們成爲多麼優秀的醫女,也無法擺脫賤民的身分,不是嗎?一想到這件事就覺得好沮喪。」

「重要的不是身分,而是我們該做的事,和如何努力活下去啊。成爲士族家的女人又怎樣?即便享盡榮華富貴,但一輩子都被三從四德的規範束縛住,只能像隻井底之蛙般活著。」

「可是士族家的女人不會被輕視,也不會被人叫到酒宴上去侍候。」

「妳說她們不會被輕視?這你就大錯特錯了!如果沒有生下兒子的話,她們就像犯了重罪,就算是一個罪人,所犯的罪也不會像她們那樣無可彌補,那就是士族女人的宿命啊。」

「不過，我母親也沒生兒子，卻從父親那兒得到無比深情的愛。」

「醫女雖然是賤民身分，但在這個國家中像我們這樣得以學習知識的人卻也不多。而且在內醫、看病醫和初學醫中，我們內醫可是最高等級的身分啊！最棒的是，我們可以親身實踐所學，因此雖名爲賤民，其實也沒什麼比不過別人的地方。天地之間，還有什麼比治療病人更高貴的事呢？我們必須對自己所從事的工作感到驕傲。與那些只能躲在深閨中刺繡，有空就吟吟詩、作作對，沒事便嘆氣、無病呻吟的士族女人完全不同。」

長今又一次讚嘆，忍不住緊盯著銀非的臉孔看，端正的眼耳口鼻閃耀著自信。本來以爲除了連生以外，她再也不可能交到其他的朋友了，然而人活著，總會碰到一些意料之外的幸運與緣分。面對純眞又柔弱的連生，長今總以保護者自居；反觀銀非，似乎在自己辛苦的時候，可以無條件借用她的懷抱，而且不用擔心這分依賴會壓垮她。

長今原本孤單的醫女生涯中，因爲遇見了銀非，而感到萬分高興與溫暖，連當初下定決心不再對任何人好的意志，也忘得一乾二淨了。

這當中能夠再見到醫女施然也讓長今高興不已，那是長今在內醫院廣場搗著藥材的某日，偶然經過的施然先認出她來，立即過來打招呼。

施然在這段期間因爲累積了經驗，得以擔當從二品淑儀娘娘的醫女，然而她的眼圈一片黯沉，不知道是疲勞還是憂心造成，連笑容看起來也沒什麼力氣，讓人見了都不禁要爲她擔起心來。

「您是不是有什麼說不出口的煩惱呢？」

明知道失禮，但既然已經看到了，如果就這樣放著不管，又會在心裏留下一個疙瘩，所以還是開口詢問。施然先悠悠嘆了口氣，才面露艱難的開口：

「打從妳是水剌間宮女時起，我就很相信妳的人品，所以才敢開口跟妳說。」

「是的，請您不用擔心話會洩漏出去。」

「事實上，淑儀患了不可告人的疾病，雖到處求醫，始終都不見好轉，才讓我擔心不已。」

「患了不可告人的疾病……」長今沉吟。

「依我所見，不知道會不會是白斑症。」

「你所說的白斑症，不就是皮膚會出現白色斑點的病嗎？對女人來說，皮膚病可是一種致命性的疾病。」

「就是這樣才沒法公開求醫啊！只能偷偷摸摸的治療。可能是因爲王上很久都沒有過來，娘娘才會憂心成疾吧！妳要是有機會的話，請幫忙到大殿去打聽打聽。或許娘娘再也沒有辦法見到王上的龍顏了。」

「內醫院怎麼說呢？」

「根本就不敢讓內醫院知道啊。」

「是怕引起流言四竄嗎？」

「淑儀娘娘囑咐我絕對不可以讓內醫院知道，然而只靠我一個人，又想不出什麼方法讓病情好轉，所以不只要擔心病情，還要擔心萬一有天隱瞞病情的事情被發覺，淑儀娘娘的立場不知道會變得怎樣。」

「說得也是。因爲沒有內醫院的允許，醫女是不得隨便診療的，這可眞是有點棘手。」

聽著聽著，長今也跟著擔心起來，眞希望自己能夠幫得上忙，然而一時之間卻也想不出什麼好方法，只能跟著焦急。

「我……雖然知道不好這樣拜託妳……」施然呑呑吐吐的。

「但說無妨，只要有可以幫得上忙的地方，我一定竭盡所能的幫忙。」

「能不能請妳親自過去看看淑儀娘娘的病？」

「我嗎？」

「不是都說三個臭皮匠勝過一個諸葛亮嗎？以我一個人的力量實在沒有辦法應付，從在水刺間調製飲食的時候就看得出來，妳是個才能出眾的人啊。」

「但是，我才剛受完教育，成爲醫女沒多久啊。」

「唉，看來我拜託妳，好像是個太無理的要求。」

一看到施然意氣消沉的樣子，長今內心也不禁開始掙扎。如果是白斑症的話，她在研讀醫書時是曾看過各種理論和處方箋。另外也不知道哪裏有提到絨毛或乳頭上的白斑爲前癌病變的一種，嚴重時還可能喪失生命。如果淑儀有個三長兩短，那隱瞞病情的施然性命也會難保。

長今決定硬著頭皮去試試看，多一個人出力，總比讓施然獨自煩惱要好吧，只怕事情不見得會如想像一般順利。

「不是覺得麻煩，而是擔心我自己是否眞有那個能力。我怕搞不好的話，會讓您的處境更加爲難。」

「不會的，如果妳可以來看看的話，對我來說就是莫大的助力了。」

「您在我失去味覺時，曾經盡心盡力偷偷的幫助過我。如果今天我在這件事情上，可以稍稍報答您一點點的話，哪有不竭盡所能幫忙的道理。」

「多謝妳，我會去向淑儀娘娘請求看看的。」

換上放心的表情，急忙跑開去的施然，當晚就捎了口信來。而原本窩在書庫，正把相關醫書都找出來看的長今，一聽到銀非的傳話，毫不耽擱馬上就到淑儀處所去。

仔細檢查後，發現白斑都集中在腋下與胸部兩個地方。

「娘娘，您這症狀是從什麼時候開始的呢？」

「還不到一年，大概有半年多了吧。」

「或者那段期間有什麼事情讓您感到煩心？」

「我想想看，好像從那時起，王上就很少到我這裏來了。」

「依我所見，也覺得這好像是白斑症，又名白癲風。」

「是嗎？那病情很嚴重了嗎？」

「不是，白癲風是在皮膚上產生白色的斑點，且會慢慢擴大。這是色素消失產生的疾病，原因有很多種，但是，因憂心而引起的心病是主要原因之一。此外意氣消沉，淤血不散，讓血液無法滋養皮膚，也會產生白斑。幸好娘娘您這病屬於後天性的，只要去除發病的原因，就不會再發作。是不是王上的事情讓您太過擔憂，才會變成這樣？」

「病情可以控制嗎？」

「一開始恐怕無法用藥，只能先用針灸治療。但是，這是我首次嘗試的治療，不敢給娘娘您任何保證。再者，我也要先稟告娘娘，要完全治癒白癲風，普通約需一年的時間。」

「要一年……太長了啊。」

「我會使用所有可能的方法，努力讓您能夠盡早痊癒，請您不要太過擔心。一開始雖然無法完全治癒，但至少可以控制到明顯減少的程度。只要不是大白天，相信王上的龍目也看不出來的。」

「不過，無法用藥的原因是什麼呢？藥與針灸若雙管齊下的話，病情不是能夠更快好轉嗎？」

「王宮內所有的藥材都由內醫院管理，不經過正式程序的話，無法隨便取用。」

「是啊，的確是那樣沒錯。」

一看到淑儀臉上浮現焦急的表情，一直在旁聽著的施然立刻心生不忍的插嘴說道。

「娘娘，請先試試看針灸治療，這之間我再去找藥材來給您。」

「妳嗎？要怎麼找呢？」

「請您給我出入證，那我就可以到仇里介的中藥街去，從那裏買藥材回來。」

「嗯，那樣的確可以。」

典醫監也負責培養預備取得醫官資格的前啣與生徒，國家爲了保障他們的生活無慮，很早就賜予特別恩典讓他們經營藥種商，那些藥種商集中地就在仇里介。

沒有內醫院、典醫監或惠民署的許可，一般人是嚴禁在其他地區從事醫藥業的。連從鄉下送藥材來的人，也限定只能在仇里介交易。因此，仇里介的藥種商在購買藥材後，再回頭銷售給偏僻地區的藥種商。換句話說，仇里介藥種商等於是掌握了藥材買賣的專賣特權。

另外，每年從十月到十二月之間，按例會在大邱、全州和原州等地舉辦藥令市，此時，負責宮中藥材的審藥便會南下巡視與監督。而與審藥之間結有利益關係的仇里介藥種商，亦會從中獲得各種方便。

一般百姓即便在身體不適時，都難以買到一帖藥。但藥種商卻濫用國家所賦予的特權，汲汲求取自身的利益。

長今在施然的協助下，以梅花鍼刺激患部，在這種治療下，可以暫時阻止斑點的擴散。而每當針灸治療結束，長今便會開出處方箋，交給施然去想辦法。

白斑症實際上也是因風侵犯肝臟，造成氣血失調所產生的一種疾病，因此必須用補充治風與肝腎的藥材加以治療。黑芝麻、當歸、苦蔘、連翹、白蒺藜和何首烏等可袪風、化痰和清血的藥材共二十餘種。同時磨碎當歸與白芷根部，取其汁液洗滌患部，亦深具療效，因此也請施然一併買回。

施然拿到處方箋後，即毫不遲疑地找藥種商去了。

在等待施然回來的時間裏，淑儀和長今閒聊了很多話。這裏是王上足跡不到的清冷宮廷，平日只有尙宮和醫女相伴度日，淑儀自然而然就變得很喜歡和其他人聊天。

長今見淑儀之所以將患部毫不掩飾地坦露給自己看，也是因爲如此，當然也由衷的希望淑儀能夠成爲一個幸福的女人。但淑儀在與長今聊天的過程中，仍常常不自覺地深深嘆氣。

「娘娘，我知道您很焦慮，但還是請盡量放寬心。治療白斑症需要時間，我所開出的消風丸也要耐心服用，才能得到良好的效果。」

「是啊，我也知道絕對不能太過心急，但就是不能盡如人意啊。」

「人的身體充滿生氣，如果能夠通暢無阻的話，就不會產生疾病。白斑症又名白癲風，就因其爲風症的一種。而所謂的風，即指氣血集中在一處的狀態，就像在大氣循環無法順暢的情況下，就會因爲氣壓高低的不同而產生颶風，大自然的天氣與人體內的氣，都是同樣的道理。」

「那到底該如何是好，我也不知道怎麼辦啊。」

「請您一定要放寬心才行。白癲風就是因爲氣血通路受阻，內外無法暢通，才會使與皮膚相關的各組織和附屬器官無法發揮應有的功能，產生了疾患。針灸治療與藥材雖然重要，但只有娘娘擺脫憂慮，才是最確實及根本的治療方法。」

「說是思念王上才得此病，所以，如果我一直拋不開對王上的思念，又怎麼治得好病呢？」

「只要再得到王上的寵愛，不就可以了嗎？」

「我也想那樣啊，但那哪是容易做到的事？」

「奴婢斗膽向您稟告，不知是否恰當，不過，您還是得先拋開憂慮之心才行。如果您想得到王上的恩寵，首先娘娘您就要健康才行。常常焦慮憂心，當然會失去健康。」

「眞是太令人膽寒了，我內心焦慮的程度竟連首次見面的妳也一眼就看得出來……」

「請原諒我的造次，但我和娘娘不像是初次見面的感覺，內心有股溫暖，所以才敢斗膽說出那樣的話。」

「不是啊，妳能瞭解我焦慮的心情，是我要謝謝妳啊。」

長今原本覺得抱歉的心裏，聽到這句話後，突然轉為心疼。淑儀心中的寂寞究竟有多深，才會對剛才初次見面的自己，說出這麼多內心話？外表看似柔弱，其實是個心地純眞的女人啊。像對待連生一樣，長今當下就決定竭盡所能的幫助淑儀。

「娘娘，所謂的『唉』是由腸與焦慮的心所合稱的字，會合併腸與心形成『唉』字，就可見心對腸有多大的影響。太過憂心的話，一定會消耗精力，還會在實際上令腸子變細，或扭曲歪斜。更嚴重的還可能造成斷腸。所有的病都是因為氣血失調所導致，而氣血失調多半是心因性的原因所引起，無論如何，還是請您多放寬心。」

「知道了，我以後會努力那樣做的。」

淑儀原來一直滿帶愁意的臉上，首度浮出現淡淡的笑容。同樣是女人，且不論地位高低，憐憫之情便油然而生。一個女人的幸與不幸竟然都只繫於一個男人身上，眞是令人覺得悲哀。基於這一點，讓長今更加堅決要在醫女之路走下去。

淑儀的白斑症雖然不是一朝可癒，但白斑的濃度卻漸漸變得淺淡，眞可謂萬幸。再者，本來以為足跡不會再至的王上也再度臨幸，淑儀的處所可說是好事連連。

淑儀認為長今的功勞很大，便透過施然賜給長今流蘇垂飾，不僅如此，還常常把長今叫去自己的處所，當成說話的伴。雖然膝下猶虛，但尊貴如淑儀者與一介醫女成爲好友，也算非比尋常的了。

長今也將銀非介紹給施然，三人成爲共同分享喜怒哀樂、互相扶持的密友。加上淑儀的溫暖情誼，讓長今漸漸適應了醫女的生活。

不久之後，梅雨季開始，後院的林木樹梢頭全都開出花來。等天放晴時一看，夏日的感覺已深。涼風吹起，再下一陣大雨過後，季節就悄悄地轉換了。

長今與銀非一起在內醫院東邊的石牆前種了一株紅梅花，兩人並約定好要像越冷越開花的紅梅一般，永遠保有熱情與純眞的精神。

第三章　內醫女

從施然那裏得到淑儀洪氏的生辰即將到來的消息後，長今沒來由的又想起了水剌間。這個時候，壽宴料理的菜單該已下達水剌間，最高尙宮專注在準備事宜上了。當初提調尙宮生辰宴會時，協助丁尙宮準備菜餚的事歷歷在目。

回首往事，連失去味覺，陷入絕望的那段時期，現在想來都是幸福的時光。從未感受過祖母之情的自己，丁尙宮卻如同親孫女般的善待她；從未面露厭惡神色，總是微笑以對，把書借給自己的閔政浩；還有最重要的，與韓尙宮共度的那些幸福日子……如果時光可以倒流，就算必須斬斷手足，也心甘情願。

就在長今坐在四周籠罩而來的黑暗，獨自呑嚥著悲傷的回憶時，一道出現了。一道常常來來去去，有時告訴長今德九夫妻的近況，有時聊些在宮中流傳的小道消息。看到長今的樣子，一道眉頭就皺了起來。

「有什麼事嗎？怎麼臉色看起來很不好。」

「沒事。德九叔和德九嬸兩位一切如昔，都還好吧？」

「就是因爲一切都太如往昔才麻煩啊！如果拿絕對不會改變的事情來排順序的話，大概母親排第一，第二才是父親吧。」

「爲什麼是德九嬸排第一呢？」

「爹的酒至少比以前喝得少了。」

一道的玩笑逗得長今暫時忘了心裏的憂傷，跟著笑了起來。

「對了，請幫我跟德九叔說，拜託他找一些高品質的雨前茶給我。」

「什麼是雨前茶啊？」

「就是穀雨前摘的綠茶啦。」

「要那個幹嘛？」

「就是有用才要的嘛。不要忘了，一定要幫我跟德九叔說噢。知道嗎？」

「誰的命令啊？我敢忘記嗎？」

一道不知道在高興什麼，看著長今咧開嘴，露出大大的笑臉。

生辰宴會結束後，長今拿著德九透過一道送來的綠茶去找淑儀，淑儀開懷的笑著迎接長今。

「歡迎。」

「娘娘，恭喜您。」

「謝謝妳，可別這樣就走，想吃什麼東西，儘管拿了再走。」

「奴婢惶恐。宮中準備的生辰宴飲您還滿意嗎？」

「是啊。那些菜餚堆得好高，我可是首次看到堆得那麼高的菜餚。宮裏飲食的高度隨著身分的高下，也有不同的差異吧？」

「是的。」

「我是從施然那裏聽說了才知道，原來妳以前曾經是水刺間宮女，有實力參加最高尙宮的比賽，是嗎？」

「是……」

雖然長今聽得胸口一緊，但不知內情的淑儀卻始終笑臉以對。這個時間賀客們也都回去了，四周變得比較閒散安靜，長今遂與淑儀兩人單獨對坐飲茶。

「沒什麼特別可以送給您的禮物，想來想去，就只準備了雨前茶。」

「水刺間出身的醫女送的茶，光聽就覺得身體一定變得健康的樣子。」

「這是趕在穀雨前摘取生長於智異山下的嫩葉，加上收集百種青草葉上的清晨露珠，所特別煮出來的茶。」

「百種青草葉端上的清晨露珠？」

「說到茶的味道，茶葉固然重要，但更重要的是以何種水來煮，那才是眞正關鍵，而且一定要用石鍋來煮才行。」

「就算妳這樣說，但爲了我還去收集百草上的清晨露珠，讓我眞不知道該如何謝謝妳才好。」

「您覺得滿意，我就很高興了。」

「豈止滿意？這份用心，我可是有生以來首度感受到的啊。」

「請您一定要常喝茶，好好的珍重玉體，以得到王上無上的恩寵。從王上身邊另外還置有尙茶官，就可知茶有多重要。另外從茶樹本身便被稱爲是一帖處方箋，也可知對人體深具益處。」

「說得也是，同時帶有草木的優良性質，所以艸與木合併便成爲茶，對不對？」

「是的，現在是夏天，正好可以收集草葉上的露珠。一旦到了冬天，我就會去收集朝向北方；而春天的話，便是朝向東方生長的松樹葉上的露珠來煮了茶送給您喝。」

「啊！這稀罕的事妳是由哪裏學來的呢？」

「還有所謂的臘雪水，指的是陰曆冬至後戌日下在雪嶽山上的積雪溶解後的水，聽說把此水保存在黑暗通風之處，整年用來煮茶的話，可以防止老化以及各種傳染病。還有若用流過紫水晶礦山下的紫水晶溶水來煮茶的話，可以增強生命力，號稱神祕的茶。但是我沒法找到這兩種水，所以也就沒能獻給娘娘。」

「夠了，夠了。光有草葉或松葉上的露珠，我就覺得是無上的幸福了。不過，還可以再煮一些茶來嗎？」

「您儘管吩咐。」

「我想借花獻佛，獻給王后娘娘，她一定會很高興。連對我這個卑微的人，王后娘娘都始終關心，實在讓我感到受寵若驚。託妳的福，如果可以讓王后娘娘感到一點點高興的話，也是很好的一件事啊，不是嗎？」

一聽到王后這兩個字，長今心中怦然一跳。不曉得王后是否知道當初自己爲了營救韓尚宮，曾經跑進中宮殿的事。不，或許連長今這個人都已經忘了也說不定。不過無論如何，如果說那茶水可以獻給王后娘娘，不要說是百草了，就算是必須辛苦的去收集千草、萬草葉片上的露珠，也甘之如飴。

「只要娘娘您能健康、安心的生活，對我而言，就是最大的喜悅了。不過因白斑症還未完全痊癒，請您千萬不可掉以輕心。特別是要注意飲食，避免食用柿子、蝦醬和魷魚等，也要控制油類食品的食用量才好。」

「好，我知道了。我一定會照妳交代的去做。」

長今從第二天起就比平常更早起床去收集茶水，光是想像洪淑儀與王后一面喝茶，一面閒聊的場面，就覺得心情整個好起來。

王后對後宮其他嬪妃十分寬厚，深獲好評。聽說就算國王納了新妃子或是沒有到自己的殿所走動，也絕不會嫉妒。也有消息傳出，說每逢必須孤枕獨眠的夜裏，王后就會閱讀《史記》、《眞聖女王傳》、《善德女王傳》等書籍來消磨時間。

王后不讀當時女人們必讀的《內訓》或《烈女傳》，而喜歡讀女王傳一類的書籍，實屬特別。或許從這個時候起，王后看重的就不再是王上的恩寵，轉而是專注在權力上也未可知。

日後章敬王后所生的仁宗在位不到一年即薨逝，她便立自己所生的兒子爲明宗，行垂簾聽政之實，那一切或許都是由此時所懷的野心衍生的結果。

接到御醫女傳喚趕去一看，發現銀非也來了。本來以爲經過上次拒絕斟酒的事件之後，兩人就已經被排除在外了，但是從御醫女的態度上，又看不出有什麼特別的變化，仍像平常一樣木訥當中略帶急躁的個性。

或許是因爲她也曾走過相同的過程，經歷相同的心情所以才沒太苛責她們吧。但是這兩個醫女拒絕聽命的行爲還是太過分，因而她對於御醫女的用心更加銘感在心。

這就是水刺間宮女與醫女之間最大的不同，比起明爭暗鬥永無寧日的水刺間，沒有嫉妒或反目的醫女世界，相處起來就像家人一般融洽。剛開始看到大夥兒彼此幫忙、互相鼓勵的樣子，還感覺新奇到發愣呢。

原本不明所以的長今過不了多久就領悟到原因，那是因爲沒有位階高低的關係。沒有位階就不需要競爭；沒有競爭就不需要謀害他人；只要學著珍惜與相處愉快就好了。

長今現在打算對於御醫女，或者那之上的什麼官職，已經一點都不在意，再也不想汲汲於身分或地位上了。重要的不是身分，銀非不是也這樣說過嗎？

邊這樣想著，邊偷偷瞄了旁邊一眼，銀非彷彿正等著長今看向她似的面露愉悅的笑容，兩人相視而笑，御醫女看了隨即大聲斥罵：

「妳們這兩個沒禮貌的東西！完全不知道自重，也不看看場合，笑什麼笑？」

長今與銀非兩人都嚇了一跳，趕緊收斂臉上的笑容，一切都看在眼裏的御醫女則翻了翻白眼。

「知道內命婦的位階吧！銀非妳說說看！」

「是，所謂內命婦是宮中所有官階女人的總稱，妃與嬪皆爲王妃，還有貴人……還有嗯……」

「沒看過像妳這麼沒用的！名義上都已經是內醫女的人，連內命婦的位階都還不清楚？那長今妳應該知道吧？」

「是的，王后原則上是超越所有位階的，正一品的嬪如果冊立爲王后，則成爲無階。其下有從一品貴人、正二品昭儀、從二品淑儀、正三品昭容、從三品淑容、正四品昭媛和從四品淑媛。」

「銀非聽清楚了吧？」

「是……」

「從現在開始，妳們要負責位階最低的後宮娘娘，正式執行醫女的任務。銀非侍候金淑媛娘娘，長今侍候崔淑媛娘娘。特別是崔淑媛娘娘幾天前才剛流產，必須更加小心照料。目前產室廳還沒有撤除，長今妳就過去那裏吧。前輩非伊已經在那裏，以後妳就和非伊一組，兩人一起行動。」

所謂產室廳是指王之子孫們誕生時臨時設置的官廳。依慣例，如果是王上或王后病重時，設有議藥廳；而王后或後宮嬪妃生產時，則設置產室廳，備有醫官及醫女入値。

入値的醫官普通有三人，如果順利產下龍胎，便會賞賜馬匹與金錢給都提調、醫官，還有醫女及其他下人們。但是如果產婦與王室血脈發生任何不測的話，不僅難以避免被追究責任，嚴重時甚至還會遭到免職流配的結果。

在內醫院前與銀非分手後，長今邁向產室廳的腳步卻很沉重。第一個任務一開始好像就不是那麼簡單。因爲流產對女子而言，不僅是身體，連精神也都會受到傷害。

再沒有比照顧陷入絕望中的患者更困難的治療了。一般來說，病患本身也得秉持非治好不可的強烈意志，身體才容易復原。但在這種情況下，失落感太重，通常就會陷入自暴自棄的狀態。百姓之家失去子孫尚且如此，更何況是王室子孫呢！

長今在產室廳與非伊會合後，便一同進入淑媛的處所。

「娘娘，服用湯藥的時間到了。」

侍候的尚宮委婉地稟告，但淑媛面向屏風的身體卻無起身的跡象，一副想走進屏風上所繪之優閑池塘風景裏的模樣。

「您想保重玉體的話，就一定要服用湯藥啊。」

淑媛仍是一動也不動的樣子，長今只能捧著湯藥盛盤站在一旁等待。儘管催促了好幾次，淑媛依舊置之不理，尚宮只好走近到淑媛的枕頭前面去。

「娘娘……」

淑媛還是躺著，只是伸出手臂來擺了擺，根本連話都懶得講，看得出來是十分的傷心。侍女尚宮帶著難堪的表情，嘆了一口氣。這時，傳來開門的聲音，出現了一個令人料想不到的人物。長今本能的往發出聲音的方向瞥去，立即驚訝得差點就把捧在手上的湯藥盤給掉落到地上去。

「妳是……」

崔尚宮也震驚到開不了口似的，無法接續下一句話。好一陣子長今的腦中全擠滿了水刺間的景象與朋友，摸不著事情的頭緒。雖然也想過總到有一天會在哪兒撞見，但卻連做夢都沒想到竟然是在崔淑媛的處所。

「等等，所謂淑媛崔氏是……」長今低聲自語。

長今仔細看了一動也不動，躺在床上的淑媛背影，雖然還是沒有面向這一邊，但那頭烏溜溜的秀髮和纖細的肩線，看起來卻十分眼熟。

全身頓感無力地往後退了一步，湯藥碗都跟著搖晃起來，這時，才想起曾聽說今英承聖恩寵的消息，一想起此事，反而奇怪自己聽到崔淑媛時，怎會沒有猜到就是今英。

「妳是如何又進到宮裏來的？」

臉色慘白、全身顫抖的崔尚宮好不容易終於開了口。

「我現在是內醫院的醫女。」

似乎沒有忘記長今的聲音，今英突然轉過身來抬頭向上望，用難以置信的表情、驚疑不定的眼神緊盯著長今看，然後不知道是感到絕望還是生氣，又閉上了眼睛。

不知是否意識到非伊與侍女尙宮的存在，崔尙宮並沒有再深入追究，馬上閉緊雙唇。接著又立刻改變了臉上的表情，走到今英前面。

「娘娘，我就知道您又會這樣，所以才不得不過來。還是不願服用湯藥嗎？」

「請不要管我。」

「越是碰到這種時候，越要堅強起來才行。請您趕快起來把湯藥喝了吧。」

「等一下，等一下再喝。」

「不行啊！進藥的時間非常重要。在娘娘您服藥之前，我絕對不回水刺間。」

然而今英還是連動都不動一下，沉重到令人窒息的沉默籠罩著三人，在截斷光線的房間裏，只有黑暗與沉悶，湯藥逐漸冷卻。

「娘娘，我怎麼會不知道您有多傷心？但是爲了將來能夠生出健康的王子，還是請您務必保重玉體。」

「什麼健康的王子？只挑好的說，不好的什麼都沒說。我的孩子確實是死掉流出來了，難道那也是不吃湯藥的結果嗎？」

「跟您說過是您太過敏感的關係啊！是您太過傷神，才會變成那樣的。只要放寬心，就不會再有任何問題。」

「不要。煩死了，拜託讓我一個人靜一靜。」

說完這句話，今英便又再次轉對屛風躺下。崔尙宮原本好像想再多說一句什麼，但看她那樣，也只好按捺下來，不再開口。

長今懷著悲哀的心情，像個陌生人般在一旁聽著。過去不曾有閒暇想那麼多，也就無法領悟其中的曲折。原本都只單純的認爲如果崔尙宮不要那麼惡劣的折磨人，或許韓尙宮的日子就可以過得舒服一點。可是就算擔任最高尙宮者另有其人，崔尙宮從頭到底也暗中藉助提調尙宮之力，無時無刻不找機會欺負韓尙宮。

今英也是差不多，當初因爲要找母親的飲食手記而遭誣陷使用符咒的時候，今英始終保持沉默的樣子，不管怎麼想，都覺得很奇怪。再者，更教人不解的是，爲什麼那張符咒就正好在韓尙宮受審時又再度出現呢？知道符咒事件的人，就只有韓尙宮、崔尙宮、今英與自己，以及連生和提調尙宮而已啊！

畫符的算命師指認韓尙宮一事，正可以證明背後一定另有教唆之人。其實在大造殿基石下所發現的符咒和韓尙宮一點關係都沒有，這是無庸置疑的事實。

就如同自己被陷害時，韓尙宮對待自己的態度一般，長今也絲毫不曾懷疑過那個事實。就算已死的韓尙宮再度活過來自白藏了符咒，長今也絕不會相信的。

如果說是有人在背後唆使的話，那個人一定可以藉由鏟除韓尙宮而得到好處，而實際上崔尙宮已成爲最高尙宮，今英還承聖恩寵，坐上了淑媛的位子，不是嗎？雖然細節無法得知，但水剌間的宮女想承聖恩寵，其可能性眞的是微乎其微。

首先，不管是所從事的職務還是所活動的範圍，水剌間宮女幾乎都不可能會引起王上的注意。如果不是故意製造機會的話，以一個宮女的身分，根本就不會遇上王上。但向來不擇手段的崔氏一門，若爲了往上爬而圖謀這種事情的話，能力可說是綽綽有餘。更何況，這些人的背後還有提調尙宮與吳兼護撐腰。

一旦開始產生懷疑，就覺得所有的情況越來越吻合。眞是那樣的話，絕對不能輕易饒恕她們。一想到無緣無故所遭受的一切，可能全都是某些人故意挖設的陷阱，就不禁氣得血脈賁張。

只爲了滿足個人的私利私欲，竟可以害得韓尙宮死得那樣悲慘！

長今端著已涼掉的湯藥站著，忍不住暗中咬牙切齒，一定要想辦法撥雲見日，讓韓尙宮的冤屈爲人所知，還要讓那些眼中只有貪欲的人，也嘗嘗失去珍愛的人是多麼痛苦的滋味。

雲白說過，恨別人會先傷害到自己的肝臟，但長今覺得就算肝臟爛掉了，也沒辦法饒恕他們。反過來說，只要能夠昭雪韓尙宮的怨恨，即便把自己的肝臟全割下來當成祭品都甘心。

在長今沉浸於這種想法，暗吞血淚之際，今英和崔尙宮卻一動也不動。如果說裏頭有什麼在動的，大概就只有隨著斜陽一點一點移動的影子罷了。崔尙宮再度開口，大概是在沉悶黯淡的房間開始被黑夜覆蓋的時候吧。

那時刻，該是回到大殿檢查御膳準備情況了。

「我先回去準備王上的晚膳，晚一點再過來。如果到那時您仍不肯服用湯藥的話，我也不會就這樣放任不管。」

崔尙宮大聲地發出一聲無可奈何的嘆息，起身準備離開，等走到門前，卻又忽然回過身來，帶著露骨的敵意厲聲怒斥。

「沒看到湯藥都冷了啊？還不快去熱了來！」

非伊慌忙地彎腰示意，然而長今卻把腰桿挺得更直。

一聽到大門關上的聲音，今英頓感五臟六腑全亂了位，胃也痛起來。做夢都沒想過會再看到長今，何況還是在宮裏重逢。

眞是一段難分難解、糾纏不清的孽緣。就像看到鬼一樣，全身雞皮疙瘩都立起來了。不，她還寧願站在鬼魂前，那至少只會產生恐怖感，而不會有罪惡感。

自尊、野心，甚至連身為女人的期望，自己不是都已經拋棄了嗎？而放棄一切，不就希望她能消失無蹤嗎？回首過往，應該是從猜中丁尚宮所做的膳食裏添加了紅柿開始的吧。就在那一瞬間，今英對於自己獨一無二的味覺喪失了自信，並訝異的發現原來擁有獨一無二味覺的另有其人。傾盡全力想要否認這個事實，結果卻只讓自卑更加高漲，啃齧自己的心。

剛開始一陣子，她還覺得抱歉，有點罪惡感。當初自己布下放恣事件時，如果長今就那樣被趕出宮的話，或許自己永遠都會懷著那樣的心情度過餘生也說不定。但是面對無罪卻始終保持沉默、不加辯解的長今，自己既為她的信念懾服，自尊心也受到了傷害。雖說自己當時是為姑母所逼，但最後卻也算是屈服在自己的欲望下所為，但長今不是。她就像是莒萓葉越拔越清新，越長越旺盛一樣，讓自己恨到忍無可忍的地步。

雖然心懷恨意，但還不至於想置之於死地的地步，直到一路找去了雲巖寺。要不是看到長今與政浩在一起的樣子，自己也不會失去理性，那時今英眞的看得忽忽若狂，政浩俯視長今那溫暖、多情的目光……

那是自己從沒見過的眼神，感受才會更加深刻。

其實就算放著不管，他們也不會、不能有更進一步的行動。雖然她比任何人都明白這個事實，但也或許就是因爲這樣，才更想把他們兩個人拆開。因爲政浩是只能放在心底的人，自己才更瞭解那份焦慮和絕望。也就是從那個時候開始，才徹底放棄了堂堂正正競爭的想法……

當她承認自己不管是在飲食上，還是愛情上都贏不過長今的那一瞬間，心中反而感到輕鬆起來。而從那時開始，便一心只想著求勝，下定決心就算是失去原有純眞，也要成爲勝利者，然而她想贏的原因卻不是爲了想在勝利後，坐上這個位置。當時姑母支開生果房的尙宮們，不斷慫恿自己把宵夜端進去時，她之所以斷然拒絕這命令，原因也正出於此。

自己對後宮的位置根本一點興趣也沒有，奇怪的是，長今消失後，自己對權力的欲望也同時消失。直到聽到政浩離開王宮，轉調釜山浦去之後，她才又改變了想法。一想到即便是在那種情況下，政浩也想更靠近長今一點的心願，就不由得再度火冒三丈。若想把政浩調升回來的話，就一定得爬到比政浩更高的位置才行。

姑母在酒瓶裏孱入夜合花樹皮磨成的粉時，今英的心裏依然只充滿了對長今不費吹灰之力，便獲得政浩關愛的嫉妒而已。又名合歡皮的夜合花樹皮具有舒鬱、理氣、安神功能，也被用來做爲助長歡快的催淫劑。當時她捧著酒瓶走向國王，每踏出一步，就落下大滴淚珠。

今英幾乎是馬上後悔了，王上對她沒什麼感情，她對王上也培養不出感情來。而自己一心一意想調升政浩回來，卻聽說他早已離開了那個地方。接下來自己又懷了龍胎，更加動彈不得，後悔不已。

懷孕一待滿三個月，就必須接受胎教，過著無異於軟禁的生活。凡懷了龍胎的後宮處所，除了尙宮與內侍外，嚴禁任何人出入，就連國王的足跡也完全斷絕，處境眞是沉悶極了，在思念政浩的那些空虛寂寞的日子裏，唯一能做的，便只是暗自垂淚。三番兩次想到水刺間去做點菜，以抒發一下心中的鬱悶。然而宮裏對於懷孕的後宮，強烈要求過徹底禁欲的生活，還規定平日必須像冥想一樣，一直規規矩矩的坐著，眼睛只能看美好的東西，耳朵只能聽美好的事情，嘴巴也只能說美好的話語。更讓人氣結的是，為了胎教，還必須學習自已一點兒興趣都沒有的詩詞書畫，還得一直吃些不合口味的飲食，這都讓她痛苦到極點。後來光是聞到大豆、海藻、白肉魚、貝、蝦和蔬菜之類的食物，就覺得想孕吐。

進入第五個月後，處境更是火上加油。另外又設置母儀字房，每天都必須在內侍與宮女監看下，朗讀《千字文》與《明心寶鑑》。

今英對這種限制厭惡到極點，最後終於闖禍了。為求心理上的安定，有孕在身的後宮規定必須定時聆聽宮樂，但對今英來說，不要說是安定了，那音樂反倒像鑽子般刺激著雙耳，最後她甚至從樂工手中搶過加耶琴，用力丟出去。

說不定孩子在那時就已經不對了，聽說人一定要懂得自行調節七情六欲，才能得到心靈的平和。

人所感受到的喜、怒、哀、樂、愛、好、惡、欲全都會影響身體與心靈。今英完全陷在除了喜與樂之外的其他情緒中，腹中的胎兒怎可能安穩？

等到了流產後，才眞切感受到愛子之情與失子之慟。這個孩子是多麼痛恨來到世上，才會在還沒見到一絲光線前就胎死腹中？這時今英也才感覺到自己這一段時間都白活了，然而更可怕的是，一切都已無法挽回。

自己做了無法後退，也無法丟棄，更無法修正的選擇，唯一的方法就只有接受。但那是在喪失了一切意念之後才領悟到的道理，不過現在不同，現在她又看到了長今。

今英感覺到內心的殘火又再度熊熊燃燒起來，絕對不能讓長今看到自己頹喪的樣子。而且，現在兩人的身分懸殊，已不可同日而語。就算只能證明這點，心裏也會比較痛快。今英眞的很想證明給她看，以她的身分，不管再怎麼大放異彩，也不可能爬升到這麼高的位置。

今英掀開被褥起身，吩咐侍女拿鏡子過來，用心地梳了頭髮。也不知道多久沒有這種想讓某個人看到自己端莊的想法了。

「把湯藥端來給我喝。」

在等待產室廳的人過來的時間裏，先用蜂蜜塗在乾裂的嘴唇上，這樣看起來至少比較有生氣的樣子。

今英把長今端來的湯藥喝得乾乾淨淨，一滴不剩。藥雖然苦，今英卻連眼睛都沒眨一下。

「現在爲您把脈。」

聽到與長今一起進來的醫女所說的話，她更是毫不猶豫的連手臂也伸出來。兩個人輪流把了脈，當長今的手指搭在手腕上時，今英有種錯覺，好像全身都起了雞皮疙瘩似的，其實只有被把脈的手腕內側起了一點疙瘩而已。

和另一個醫女相比，長今把脈的時間又長又仔細。而且並不只碰觸手腕，還摸了摸腹部，又拉拉雜雜的問了許多問題。

就算在回答有關自己身體的詢問時，今英的心情也非常複雜。兩個原本可以結爲好友的人，卻均因太過出眾而無法如願，或許這就是問題所在。

那年秋天午後，雲巖寺前院裏她與政浩深情對望的一幕，也是問題癥結的所在。既然擁有比別人更多的才華和幸福，那麼比別人遭受更多的痛苦與折磨也是應該的。把完脈的長今，眼神裏彷彿閃過一剎那的動搖。今英雖看在眼裏，卻收起想問的想法，默默地垂下袖子。

長今微微低著頭出去了，今英儘管好奇，但從表情上來看，卻完全無法得知她到底在想些什麼。

長今從崔淑儀的處所出來後，便與非伊一同去到產室廳，因爲有話想要問問入値的醫官。

「淑儀娘娘的病情有好轉的跡象嗎？」

「今天已離開床鋪起身，還一口喝完了湯藥。」非伊一臉解脫的表情回答。

「哦，是嗎？那眞是太好了。我開了佛手散，下部裂開的傷口應很快就會癒合，也會恢復氣力。」

「佛手散」就是佛陀之手的意思，有借用佛手，以求順產的意義在內。一般在產前爲減低分娩時的痛苦及防止難產，都會開此處方服用；然而若是碰上產後出血不止的情況，也會服用此方。出血不止會造成氣血衰弱，抵抗力降低。在佛手散裏加入艾草與甘草一同煎煮，然後熱服，具有止血的作用，不過長今卻有不同的想法。

「大人，依照奴婢的診脈結果，覺得有一些奇怪的地方。」

「此話從何而來？」

醫官以不悅的口氣截斷她的話，心想，妳這進來才沒多久的丫頭，竟敢對我所開的處方存疑。然而，診脈就是診脈，若就這樣放任不管，那異常的出血量又該如何處理？

「不管怎麼看，都覺得腹中尚有死胎尚未完全排出的樣子。」

「什麼？」

「我用四診法與腹診的結果都是一樣，無論如何，出血量實在是太多了。」

「那是因爲娘娘沒有按時服用湯藥才會那樣。現在既已開始服用湯藥，不久下部出血應該就會止住了。」

「衝、任二脈太過不安定。」

「我可是親眼看著死胎排出的，妳不要盡說些沒有用的話，該做什麼事情就快點去做。」

「可是，大人……」長今仍想力爭。

「哼！妳知道個什麼，這麼強出頭？我不是說我親眼看見了嗎？」

「大人說得沒錯。我也確實親眼看見了排出物。」

連非伊也出來附和，看來再說下去也沒什麼用了。長今只好退了出來，但心中仍然存有疑惑。

治療胎死腹中症，即當腹中死亡的胎兒從體內排出後，照理說應該就會慢慢恢復元氣才對。然而從外觀上看來，崔淑媛的氣色卻不像恢復中的樣子。臉色雖然紅潤，但舌頭、手指甲和腳指趾甲卻都呈現青藍色，十分奇怪。都已經過了兩天，下部裂開的傷口卻仍無法止血，這也是很不尋常的現象。然而，入値醫官卻沒人想過新的辦法，只一味開出同樣藥材的處方。大概是擔心若改開新的處方，別人會對他們的初診結果產生疑惑的關係吧。

內醫女的本分就是煎煮好處方上的藥材後端上去，看病之類的事本不在允許範圍之內，所以非伊也是一派輕鬆的模樣。由此可見醫女教育其實僅止於形式上而已，醫女本身並無眞正的使命感，也就難怪大部分都醫術不精了。

少有醫官會將醫女的話聽進去，通常都只把她們當成跑腿或娼妓看待，因爲不信任，也就不會交代重要的事情，於是醫女便自暴自棄，幾乎不見努力學習累積實力者，平常只被託付做些雜役之類的事情。創始已久的醫女制度之所以缺乏發展與改革，一直停留在原地踏步的階段，也是因爲無法根絕上述惡性循環的結果。

如果長今的猜測正確，那麼時間拖得越久越不利，她又不能任意扎針，萬一弄得不好，連醫女一職都可能會丟掉，因爲醫女無端扎針被明定爲不法行爲。況且對象又是今英，更是麻煩。長今心懷不安，想要尋求安慰，便藉口去領藥材找銀非去了。

「說到金淑媛娘娘啊，爲了想生下王子，可謂用盡所有可能的方法。聽說還特別用新尿桶接下了王上清晨的第一泡尿，然後放進雞蛋，過了兩個月以後，再拿出來煮了吃，也就是所謂的轉女爲男法。」

轉女爲男就是始胎，即在懷孕滿三個月前，胎兒性別還未決定時，一般相信此時可以藉吃藥或方術，將腹中的胎兒轉變爲男兒。就因爲有這種信念，才會有受胎後，動用如符咒之類一切可行的方術。

「可是，眞的在滿三個月前還無法區分男女性別嗎？」

「我也覺得這一點很奇怪，難道在那之前胎兒既非男孩，也不是女孩囉。」

「雖說只是一堆血塊，不過有可能處於既不是男胎，也非女胎的狀態嗎？」

「說得也是。送子娘娘在送子時，應該早就已經決定好了，不是嗎？」

「確實的經過不太清楚，不過我的想法也跟妳一樣。不管怎麼想，都覺得性別這種事應該是在懷孕的同時，就已經決定好的才對。」

「妳不覺得很好笑嗎？」銀非突然冒出這麼一句。

「什麼啊？」

「妳啊，還有我，連男人是什麼都不甚瞭解，卻在這裏討論小孩是怎麼來的……」

銀非噗嗤笑了起來，受那笑容感染，長今也跟著爆出笑聲。

「朴淑媛娘娘爲了想獨占王上的愛戀，不知道花了多少心思。這樣看起來，醫女的命果然還是最好的。良人一位，到底需要多少女人來陪襯啊？身分再高又有什麼用，如果是我，早就氣死了。」

國王除了王后尹氏之外，還有後宮敬嬪朴氏、禧嬪洪氏、昌嬪安氏、淑儀洪氏、淑儀李氏、淑媛李氏、淑媛金氏等嬪妃，再加上淑媛崔氏，總計算是娶了九名嬪妃。

「說到這裏，有沒有聽到消息，說內醫院來了一位新儒醫？」

「沒有啊。」

「我去領藥材的時候，曾偷偷看了一下，長得很英俊，遠比王上更好看呢。」

銀非在長今面前，說起話來就毫無顧忌。反而是長今有點心虛的看看了四周。

「妳也眞是的，說這些不怕被別人聽到？」

「那又怎樣？今天傍晚日課結束後，大家會聚在內醫院，可能是要開歡迎會吧。妳也來看看。」

雖然應了聲好，但也不知道有沒有空過去。長今和銀非分手後，腳步不由自主的便又再度轉往產室廳。儒醫指的是士大夫出身的醫生，在流行性理學的當時是身分相當獨特的醫療人員，算是一種學者型的醫生。

因爲漢醫學是從東方哲學中所發展出來的學問，所以如果是對性理學與漢學研究有深厚造詣的學者，在醫學上便容易觸類旁通，自然的扮演起家族與官廳醫生的角色，之後又逐漸形成儒醫制度。

由於內醫院或惠民署的醫官大部分隸屬於中人階級❶，因此出身士族家門的醫官算是很特殊的。這些人埋首於漢醫學的理論研究，以醫官生徒爲對象教導醫書，卻鮮少實際行醫的經驗，主要還是專注在理論上，致力於樹立漢醫學的體系。

擁有數十名醫官的內醫院從正三品內醫官開始，到僉正、判官、主簿、直長、奉事爲止，職級眾多。另外又有鍼醫與醫藥同參各十二名。隨著職級的不同，所負擔的業務也各不相同，甚至連釀造的工作都有專人擔當。

❶介於士族與商人之間的階級。

最重要的工作當然就是照應國王以下各王室的安康，從啓辭問安的工作開始，中間均不容許有任何一點的疏忽。上疏問安，告知各種藥物與治療方式的討論結果等等，便是啓辭問安的內容。還特別設立每五日問安一次的日次問安制度，訂好每月五日、十日、十五日、二十日、二十五日和三十日，一定要啓辭問安，也算是一種健康診斷制度。

也有所謂口傳啓，即省略正式文疏，僅在口頭上詢問。還有一種類似的口傳問安，是簡單的詢問身體的健康狀況。此制度多於王上出宮外遊途中，或接受針灸與艾灸治療時詢問國王的狀態，才因應而生。

長今走向產室廳的路上，額頭直冒汗，已完全是夏季的天氣了。

也想起了以前在烈日下受訓的情況，自己天生容易中暑的體質，只要一到夏天，就覺得萬事惱人，只想找個蔭涼的地方休息。在產室廳待命的時候，也不知來來回回走了多少次，每次回去內醫院時，都想替自己開個補充流汗體質營養的處方。

大熱天還蓋著棉被休息的崔淑媛，心中的苦楚想必也有如千斤重。爲了要讓她早日擺脫病體起身，應該要做些基本的處置，但由整個情況看起來，卻無法如此進行，這讓長今無法不感到鬱悶。

長今也在心中做深刻的反省，是不是因爲對方是今英，所以才沒有更積極地去思考處理的辦法？爲此長今也不禁深深地自責。但是她並不希望今英因爲這樣的事情而遭遇不測，現在時機仍未到，而且長今最想要的也非復仇，而是想要個眞相。一定要揪出幕後策畫者，才能完全洗清韓尙宮的污名。

長今加快腳步，朝產室廳而去。就算被辱罵也好，也要再次嘗試說服輪値醫官。

要是眞的不行，就去跟御醫女說，由她發難，帶動起內醫院的輿論。如果連那樣都不行的話，最後也只好去找雲白了。

才走到產室廳前面，長今便看到站在入口的政浩，不禁懷疑起自己的眼睛。自從去年芒種時分見過一面後，至今已過了一年有餘。似乎瘦了點的樣子，但曬成古銅色的臉孔看起來更加成熟穩重。但他眼中閃著不安的憂愁，感覺上也有點爲難的模樣。

「剛剛到內醫院去找妳，他們叫我過來這裏，所以我就來了。」

長今感覺有點生疏，竟不敢正面迎視，政浩的聲音聽來響亮，像是精神不錯的樣子。

「這段時間，您一切還好吧？」

「是的，我剛遊歷了八道風光回來。」

大概就是因爲那樣，臉才會曬得那麼黑。長今避開了太陽，將政浩帶往產室廳對面的樹蔭下。然而，暑氣非但沒有稍微減緩，反而感覺到背上的汗水直流。是因爲太熱？還是因爲心情興奮呢？不知從何而來的熱氣不斷上升，讓身體與心都無法安定下來，如同白雲一般，既捉不住也停不下來。

「我是爲上次的事情來跟妳道歉的。那時我好像太過分了，請妳原諒我。」

「怎麼說請我原諒呢？是我比較抱歉。還有我朋友的無禮行爲，也請您一併原諒。」

「不！自己不認識的男人抓著女子的手，如果是我看到了，也會那樣做。」

「那是和我從小一起長大，如同自己兄弟般的好朋友。」

不自覺的吐露了不必多言的話，長今自己都覺得有點不好意思。好像是怕政浩會產生誤會似的，自己就先解釋起來。

「之前跟妳說過不管在什麼地方、做什麼事，我都會盡力協助，結果我並沒有做到這個約定，但從現在開始，我會盡力而爲，也請妳不要再拒我於千里之外。」

心裏想說的話很多，卻連一句都沒法說出口，所謂從現在開始要盡力而爲，是要盡力到什麼時候爲止呢？眞想問問他，是否已經想清楚，這許諾可能會是至死方休的？即使那樣他也毫不遲疑的說出口的嗎？他到底知不知道這個國家的律法，竟能說出那種話來？

長今看著政浩的表情更深沉了，就算把內心深處所有的話都說出來，心裏也不會好過些吧。世上有些人，不管別人怎麼說，只要下定決心就絕不會更改。丁尚宮如此，韓尚宮如此，雲白如此，連自己也屬於這一類的人，看來政浩也差不多是。

長今知道就算把話都說了也沒有用。無論如何，政浩心中或許也有一股摸不著、捉不住的熱氣，必得下一場大雨才能讓他鎮靜下來吧。

「聽說妳現在正在協助淑媛娘娘的流產後調理。」

「是的。」

「我也知道那位娘娘是誰，是妳在水剌間時一起工作的朋友，對吧？」

「是的。」

「就算辛苦，也請打起精神來。如果有什麼我可以幫忙的地方，請隨時通知我。我已經請調到內醫院，擔任儒醫的工作。」

「內醫院新來的儒醫原來就是……？」

政浩微笑著，慢慢的點了點頭。

「每次妳來還醫書的時候，我都對書本的內容感到好奇，漸漸的便跟著讀了起來，心想徐內人也讀過這個句子嗎？是不是也順著這個部分翻頁過去……不知不覺的，我也就成了個半生不熟的醫官。」

「大人您不是懷有其他的夢想嗎？」

「原本是想成爲保衛國家的武官。」

「那爲什麼您要請調儒醫的工作呢？」

「所謂的夢想是可以改變的，如果心中最珍視的對象改變的話，夢想自然也就會跟著改變。身爲男兒，保衛國家雖然重要，但我覺得守護心愛的女人也同樣的重要。之前在海南碼頭就已經下定了決心，但當時卻無法成爲什麼助力，也因此我早已下定決心，再也不要像之前那樣與妳錯過了。」

「可是如果您待在我身邊，不知道又會遭逢什麼樣的劇變呀？」

其實怎麼會不知道呢？韓尚宮遭遇不測之後，自己不都一直在咀嚼著獨活下來的孤獨與痛苦嗎？

「會請調儒醫職位的理由有二，如果不在近處守護妳，再也無法安心是其一，洗刷韓尚宮嬤嬤的冤屈是其二，絕對要證明她沒有謀反之意。對今英小姐，不，是淑媛娘娘雖感抱歉，但無論如何，總覺得崔氏一族必與此事有相當深的關聯。」

比起說要守護自己，政浩說要洗雪韓尚宮冤屈，讓長今心裏更加感激、更加安尉也更加踏實。其實政浩原本就比長今更明白一個事實，那便是只要謀反的污名一日不得昭雪，長今的心情便無法輕鬆，絕對不會幸福……

告別了政浩，走向產室廳，經過剛才的片刻，她忽覺一切都完全變得不同。彷彿眼睛所見的一切事物都變得可愛多了。

長今對於其中心情的快速轉變也覺得莫名其妙，自己不禁輕輕的笑了起來。彷彿陳年的積雪從看不見的深處慢慢溶化了一般，之前的孤獨與痛苦全都一掃而空，只是長今自己還沒有完全感受到罷了。

端著湯藥進去的時候，淑媛已呈現昏迷的狀態，搖晃著淑媛身軀的侍女尚宮一看到長今，馬上高聲喊叫起來。

「快點，快點，快去把醫官叫來！」

非伊跑了出去，長今則慌忙觀察情況。淑媛全身上下都發著莫名其妙的嚇人高燒，如果不趕緊採取什麼措施的話，恐怕會有什麼不測也說不定，簡直就是危險到了極點。但到底怎麼回事？醫官爲何遲遲不見，長今越等越焦急，乾脆跑到門外去等非伊回來。

「產室廳到底在幹什麼，怎麼一個人都沒有？」

非伊在長今焦急不堪的等待下終於出現，但說出卻是這樣的話。

「那是什麼意思？難道輪值醫官們都不在產室廳裏？」

「我也不知道啊！現在怎麼辦？」

「去過內醫院了嗎？」

「沒有。」

「那去那兒請他們趕快過來吧，這裏有我守著。」

「知道了。這之間可千萬別出什麼事情才好。」

長今在非伊跑出去的同時，再度折回到淑媛的處所。

「醫官來了嗎？」侍女尚宮對著獨自進來的長今高聲問道。

「這……馬上就會到了。」

「熱度不斷升高，輪值醫官那些人慢吞吞的，到底在幹什麼啊？」

正如侍女尚宮所說，醫官們早就該到了才對，這回卻連非伊都消失得無影無蹤。長今在情急之下把了一下脈，發現子宮與衝脈和任脈的氣血循環都相當不穩定。若不趕快採取措施，極可能會導致無可挽回的後果。

長今又把了一次脈，仍然無法擺脫死胎還留在腹中未排出的疑慮。

死胎如果長期滯留在子宮內的話，就會導致出血與感染，不僅以後會有妊娠障礙，現下就可能使母體血液凝固，危害生命安全，實在是不能再遲疑下去了。

「妳想幹什麼？」

才從鍼盒裏拔出鍼來，侍女尚宮就瞪大了眼睛。

「情況已經很危急了，我要用針灸治療。」

「妳這不知輕重的東西！還不快給我停下手來？醫術不精的小小醫女竟敢在淑媛娘娘的玉體上插鍼！」

「就是因爲淑媛娘娘的玉體太令人擔心才會這麼做，醫官不知道什麼時候才會來，一直空等下去，搞不好會導致嚴重的結果。」

「一切等醫官來再說！」

「輪值醫官曾說馬上就會好轉，但現在的情況又是如何呢？內醫院嚴禁醫女無故針灸，若非情況緊急，我怎麼可能輕易地賭上自己一條命呢？」

這句話終於讓侍女尚宮閉上了嘴，無話可說。

「沒時間了。」

「……」

「嬤嬤！」

「妳安靜！我要好好的想一想。」

「請在心裏數到十，如果到時醫官還沒過來，就算嬤嬤您阻止，我也一定要以針灸治療了。」

侍女尙宮已無法再阻止下去，全身開始顫抖。不管外表上或是內心裏，都看不出她在數數，卻是驚嚇到好像掉了魂似的。反而是長今開始從一數到十，好不容易從喉嚨擠出十這個音節後，便不再躊躇，開始進行針灸治療，這是爲了將堆積於體內的物質導流出體外而施行的針灸。

治療完後，馬上到內醫院去找阿膠，所謂的阿膠，就是將驢子、牛或豬的皮熬煮以後，濃縮而成之物，可生血用以補充失血過多，並具止血的功能。長今在阿膠裏放進蒲黃粉、側柏葉和艾葉粉一起磨碎後，加水煮滾。

可惜沒找到用桑寄生泡的寄童酒。桑寄生是寄生在榕樹、赤楊、朴樹等闊葉落木的莖枝上，吸收它們的水分與養分維生的一種植物，以此所泡的酒，可稱爲是治療子宮出血的天下名藥。在身體恢復後，持續少量服用寄童酒的話，可完全排淨體內殘留的污血。

然而就算事後想服用寄童酒，內醫院的藥材庫裏也沒有儲備桑寄生。長今甚覺可惜，也只好將準備好的湯藥端到淑媛的處所去。

「聽說妳用針灸治療了？」

站在入口的非伊叫住長今，低聲問道。看來在這段期間，輪值醫官也趕到了的樣子。

「因爲無法再等，才會那麼做。」

「妳什麼都不必做，責任自然有輪值的醫官承擔，幹嘛還要多事？」

「但她人都已命在旦夕了。」

「妳給我聽好，如果淑媛娘娘無法復原起身的話，妳的命就要不保啦！」

「醫官說他們在哪裏？」長今現在關心的，根本不是自己。

「這個啊……他們說是去歡迎新來的儒醫。內醫院開了宴會，他們就連產室廳都不顧了，全跑去參加，還在那邊喝藥酒，眞是的。」

根本是不値一提的事。長今無言的越過非伊，直接進入處所裏去。淑媛像昏死般的靜靜躺著，但看起來已度過了危險高峰，於是長今放下湯藥，默默地離開了那個地方，輪值醫官也隨著長今站起來。

「妳可知道自己做了什麼好事！」

醫官不由分說地便提高聲量責備。

「因爲再怎麼等您都不來，我才會毅然決然那樣做的。」

「那也該等我到了以後再說啊！」

「到那時，我就不敢說淑媛娘娘的情況會變成怎麼樣了。」

「醫女無故針灸，妳還有這麼多話好說？」

「所謂一鍼、二炙、三藥，針灸治療擺在首位就是因爲其治療效果最快之故。爲了要救活娘娘，我沒有別的辦法。」

「妳這狂妄自大的丫頭，還眞是什麼都不怕，反正待會兒就知道結果如何，妳最好先有心理準備！」

太陽穴隱隱作痛，心情也很激動，但長今卻什麼都不怕。醫官必定是有錯在身，才會這樣先聲奪人。

輪値醫官不在產室廳，就是不容抗辯的職務怠忽罪。便何況在那種時候還盡情喝酒，性命不保的人應該會是他吧。

當然，這件事情如果洩漏出去的話，不管結果是好是壞，長今都免不了會被追究責任。但是只要淑媛恢復了生氣，而侍女尙宮和醫官不開口的話，就可以悄悄的避開他人耳目。就算過程有所瑕疵，但醫官有罪在先，侍女尙宮則會感激長今治癒了主子，兩人應該都會幫忙掩蓋過去才對。

淑媛在隔天凌晨天未亮前，就隨著大量積滯的淤血，一同排出死去的胎兒。醫官與非伊雖然說親眼看到，但事實上，當初淑媛腹中應該是懷了雙胞胎。長今放下了心上的一塊大石頭，但有了大麻煩的醫官卻開始恐懼的顫抖起來。

「幸好沒有出太大的問題，我就把妳無故針灸一事，當成從來沒有發生過，妳自己心裏知道就好，多注意一下言行舉止。」

醫官在那種時候還不忘大聲呼號。

淑媛終於睜開眼睛，情況穩定下來，產室廳也隨之解散。長今再度回到內醫院，當天晚上，深深睡了個許久不曾有過的甜蜜好覺。

跨過死亡關卡的崔淑媛卻一夜未眠，已從侍女尚宮口中得知，輪値醫官遲遲不來，長今只好代爲針灸治療的事情，所以現在只要處罰醫官，獎賞長今，整件事應該就算落幕了。然而，今英怨恨的人反而是長今，醫官有或沒做什麼，淑媛根本一點都不在意。

從長今被貶爲濟州官婢到成爲醫女回到宮中，其間過了三年的時間。在一千多個日子裏，就算她學了些醫術，按常理來推斷，又能學到多深呢？而醫官卻必須在醫官考試中合格，又得累積多年經驗，才得以被任命爲內醫院醫官，長今不但具備了卓越的實力，更診斷出連內醫院的醫官也察覺不到的深度問題，並且施以正確的針灸治療。

簡直是比鬼神都還要可怕的女子，實在不想再看到她，好像一見了面，就又會引發生死爭鬥似的。

得到消息趕緊跑來的崔尙宮，好似也覺得沒有必要再多聽似的，毅然決然的便斬斷了今英內心裏的掙扎。

「妳和那孩子的命運勢不兩立，就像天上無法也不能有兩個太陽共存一般，只要那孩子存在，娘娘您就絕對沒有太平日子好過。」

「眞不知道這到底是段什麼孽緣。」

「那個孩子簡直就像隻血蛭一般，緊吸著不放，不是嗎？要是就這樣置之不理的話，還不曉得什麼時候會把娘娘您的鮮血吸得一滴不剩呢。」

「可是，這次她救了我的命，讓我心裏難免有個疙瘩。」

「她根本不知道好歹，等著瞧吧，要是您不加以處置，馬上就會給淑媛娘娘引來大災害的。」

「那該怎麼辦才好呢？」

「她是個醫女，卻無故針灸王上的後宮。如果不是想謀反，那樣的行爲又該判以何種罪名呢？」

謀反。不管何時聽到這兩個字都會讓人渾身起雞皮疙瘩，何況是以謀反罪名入獄，想來便覺得無限恐怖。

一看今英內心開始動搖，崔尙宮趕緊又再加把勁。

「妳的心要狠一點才行啊！多餘的同情心只會招來更大的禍害。以前給明伊灌下附子湯時，我也因爲罪惡感，導致夜裏幾乎都無法成眠。但現在想想那時沒能確實的斬草除根，又感到十分的遺憾。如果那時妥善解決掉她的話，今天也不會讓娘娘您心裏這麼痛苦了，不是嗎？」

「我怕她。」

「所以我才說您的心要更狠一點啊！上次應該讓她和韓尙宮一起共赴黃泉才對。現在利用這次機會，就把她永遠送到韓尙宮的身邊去好了。說不定這會是我們最後一次機會也說不定。」

崔尙宮的兩眼彷彿利箭，射出濃厚的殺意。最後，在黎明曙光撒在朦朧大地上的時候，今英終於派遣侍女尙宮去找內醫正。

內醫正鄭潤壽一侍崔淑媛派遣的侍女尙宮回去，馬上就將內醫院的醫官和御醫女召集過來。

「這到底是怎麼回事？說是醫女無故針灸……產室廳輪値醫官到底在幹些什麼？」

負責的輪値醫官低頭不語，只是一副「該來的還是來了」的認命表情。

「把崔淑媛昏倒的緣由，以及那時你爲什麼不在產室廳的原因，給我好好的說清楚！」

「因爲胎死腹中的關係，黑血大量湧出，分明看到體內的死胎排出，所以我就開了佛手散爲處方。」

「可是，分明已排出的死胎，這次又再度排出，像話嗎？」

「沒有想到另外還有一個……」

「沒看過像你這麼令人氣結的傢伙。說什麼已經親眼看到死胎排出，可以安心了，之後就都不把脈診斷了嗎？」

「請您原諒。」

「那你那時候爲什麼又不在產室廳呢？」

「那個……」

「你不說我也知道。在歡迎新上任儒醫的宴會上，我親眼看見你也在場！」

內醫正不能說自己一點責任也沒有，因此他也無法恣意發火，只得抿緊了唇不再說話。這位鄭潤壽就是當初在雲巖寺負責治療王后保母尚宮那位醫官，也是後來協助御醫，以謀反罪誣陷韓尚宮的策畫者。不知何時已然成爲正三品內醫正，可以號令管轄數十名的內醫院醫官。

「有人說該責以謀反罪名。」

御醫女木在一旁像事不關己的聽著，一聽到這句話，終於忍不住開了口。

「什麼謀反罪啊？雖然醫女禁止針灸治療，但從當時的情況來看，她救人的意圖卻再清楚不過，不是嗎？若連這種事情都要被當成謀反罪，那就太可怕了，往後還有誰願意善盡醫女的責任？」

個性大剌剌的御醫女，即使在內醫正面前也毫無所懼。連原本躊躇不前的輪值醫官也站出來說話了。

「依我所見，說是犯了謀反罪，好像太過分了一些。律法雖然重要，但既然面前有人命在旦夕，就不可能袖手旁觀，救人不正是醫者的使命嗎？」

「清楚自我使命的人還敢擅自離開產室廳，跑去喝酒嗎？」

內醫正大聲一喝，讓輪值醫官立刻像隻鱉般把頭低下，縮起了身子。

「不管怎樣，謀反罪確是太過分的處置。」御醫女則繼續據理力爭。

「沒錯。而且如果真的有謀反事實的話，最先會被波及而遭殃的，應該就是內醫院。」另有醫官附和。

「明明知道事後一定會被追究說，醫女進行針灸治療時，醫官是不是袖手旁觀，完全不理。」

內醫正耳裏聽著你一句、我一句，來來回回的聲音，心情跟著紊亂起來，其實透過侍女尙宮接收到崔淑媛所傳達的話後，他就已經膽寒不已了。

三年前爲了掩飾御醫的誤診，將罪名推到韓尙宮身上的可怕回憶又再度浮上腦海，這次無故針灸的執行者怎麼會又剛好是長今！

崔淑媛說那個孩子回到宮中的理由只有一個，就是要洗雪韓尙宮的污名，找出眞正的犯人。就算眞相沒有照著那個孩子的意思，一點一滴地暴露出來，但這件事如果再度被提起，也足以撼動整個王宮了。

無論如何，這件事還是得做個了結，只是沒想到醫官們會表現出如此強硬的態度，再說沒有查清眞相，便硬要安上個罪名，不管怎樣還是說不太過去。

想想自己已經是一介堂堂的內醫，竟然還治不了一個醫女，心中不禁變得更加焦躁不安。再者，年輕的醫官中，已經有幾個人都察覺到他與崔判述商團之間的關係，心理上多少有點顧忌。

深思熟慮後，決定先聽聽御醫女的意見。

「進來才沒多久，就闖了這麼個大禍。我一定會好好的教訓她，讓她不會再輕率而爲。」

「僅僅這樣，處罰不會太輕了些嗎？」

不管會發生什麼事情，都一定要把她趕走才行，禍害若留在身邊，永遠都無法高枕無憂。

「把她送到惠民署如何？」

「眞是個好辦法，若把她擺著不用，不也可惜了她的才華與能力嗎？」

惠民署太近了，雖然不滿意但也沒有其他的方法，還是先把她送到那裏去，之後再慢慢收拾她好了。

「很好，那就把她送到惠民署去吧！御醫女即刻去辦！」

長今才剛準備好早上要送去給淑媛的湯藥，就被下令整理行囊。剛聽到這個消息時只覺得莫名其妙，都快氣炸了，但過沒多久又啞然失笑。

原來今英與崔尙宮心中的恐懼已經深到這種地步，這只不過是確認了她們內心的擔憂程度有多大而已，也間接證明了她們有些不可告人的祕密。

於是長今鎭靜地收拾好行李，現在的她已經不是當初因爲幫忙今英找金雞，被逮到無故外出，而放逐到茶栽軒去的自己了。她連這個國家最遠的濟州島都去過，不也都再度歸來了嗎？更何況惠民署既不遠，也不是個陌生的地方啊！

長今甚至還有閑情拍拍義憤塡膺的銀非安慰她。

「別擔心，我馬上就會回來的！」

對著前來送行的銀非低聲私語一番後，長今便帶著微笑的臉孔，轉身離去。

第四章　大瘟疫

「當初妳說要成爲醫女的時候，本來還想阻止的，現在看妳這樣，又覺得幸好自己沒那樣做。」

一聽到長今要到惠民署去的消息，德九的妻子突然冒出了這麼一句話。

「妳這話是什麼意思啊？可不可以說明白一點？」德九問道。

「她才去沒多久又被趕了出來。所以啊，如果她像普通女子一樣嫁人的話，大概沒多久也會被婆家趕回來吧！」

「搞不好她嫁人以後，會過得很好也說不定。」

「不管怎樣，女孩子如果被婆家趕出來，她的人生就到此爲止了。不過，長今卻可以在宮女、內醫女啦、惠民署醫女之間隨意的換來換去，多好啊。」

反正德久的妻子就是非得讓人見識她尖酸刻薄的模樣不可。長今沒什麼心眼，只顧笑，反而是一道氣得跳腳。

「母親您也眞是的，對一個已經夠沮喪的人，就沒別的好說了嗎？」

「我也是很沮喪才那樣說的啊，你這小子！說什麼一年給我兩石米，現在變成這個樣子算什麼？不用說兩石米了，就連兩斗可能都沒辦法。惠民署的奉祿一定比內醫院少很多，難道不是這樣嗎？」

「您就那麼愛錢啊？就那麼愛錢嗎？」

「那你呢，你就那麼喜歡長今，喜歡到可以跟老母親頂嘴的地步嗎？就那麼喜歡她嗎？」

從回來的第一天開始，就這樣吵吵鬧鬧的，但反正都算是一家人了，倒也不覺得有什麼好遺憾或好生氣的。

惠民署當初是長今接受醫女教育訓練的地方，一切都很熟悉。朝鮮建國之初，最早在太祖元年繼承高麗時代的惠民庫制度，此地設立了惠民局，後在世祖十二年又改稱惠民署。遷都漢陽後，爲了興建都城，動員了許多百姓，彼時，曾造成了爲數眾多的負傷者，加上瘟疫流行，聽說都是在惠民署得到治療。惠民署的主要任務便是醫藥的輸納、民眾的救治與醫學教育的訓練。

這個地方從提調到茶母，到處都擠滿了人。也曾經聽說過，考試成績不佳的醫女，會被送來惠民署當茶母，還有人說，惠民署的醫女屬於最上等的官妓。想成爲醫官的人也必須先入學成爲醫學見習生後，再接受指定的教育訓練，因此，此處也有很多的醫官學員。

以救治一般百姓爲目的而設置的醫療機構，有惠民署與活人署。光從字面上看就可以知道，惠民署爲加惠百姓的官廳；活人署則爲救人活命的機構。

另外，從《經國大典》可知，惠民署爲治療庶民疾病的官廳；活人署則爲救治都城病患的機構，生病又沒錢的百姓找上惠民署的不少。然而實際上，兩大機構卻均靡爛到被暗稱爲「殺人署」的程度。而用不了多久，長今也就很自然的瞭解到爲什麼它們會被冠上如此的惡名了。

受訓時未曾察覺，但惠民署確實是個缺乏體制、藏污納垢的地方。本來應該免費供應給百姓的藥材，常在不知不覺間消失，藥材庫裏也只剩下一層厚厚的灰塵。

醫官們只在意何時可做滿年資，得到打開藥材庫的權力，對於百姓醫療根本不屑一顧。茶母就不用說了，就連大部分的醫女也都只期待著哪天能讓高官看上，飛上枝頭當鳳凰，成爲他們的妾室。除此之外，舊人欺負新人的情況也十分嚴重，第一天開始，他們便成群結黨，刻意排擠長今。

不知道是誰和內醫女互通消息，連長今拒絕參加宴會的傳聞也擴散到此地，更不用提無故針灸治療的事了。醫官們常用著一種孟浪的眼神看著她；醫女們也露骨地表現出酸溜溜的模樣，但長今對這一切卻都不以爲意，坦蕩的面對心中只餘權位與面子的醫官，也不將那群竊竊私語的醫女們看在眼裏。

因爲無法施行針灸，當然就只能做些醫官們交代的雜事。長今經過一番長考後，決定將有志氣的受訓生與一般婦女集合起來，教導她們一些簡單的醫術，大部分都是在家中就可以簡單實施的緊急救治措施。

對於貧窮的百姓來說，醫學書籍就如同珍貴藥材，均像畫中美女般僅看得見，卻摸不著。主要的原因是書籍內容大部分都以難懂的漢文書寫，所以長今特別用簡單易懂的方式講解書文，甚至教導了基本的針灸法。

政浩則乾脆以惠民署爲家，堅守著對長今所許下的約定，常在近處守候著她。由於他曾經調查過藥種商與崔判述商團間的不法勾結情事，所以現在對於惠民署藥材的輸納弊端，也正好可以趁機展開隱密的調查。

根據政浩所掌握的資料，藥種商握有專賣特許，而崔判述商團則控制那些藥種商。以各種藉口挑剔從全國各地藥材商那裏輸納而來的物品，或退還原處，或賤價收購。以賤價從喪失競爭力的地方藥材商搜購到藥品之後，再以騰漲數倍的價格轉售給藥種商，從中獲取暴利。

貧窮的百姓買不起藥是理所當然的事，只有找上惠民署來，然而，想要從這裏獲得藥材，也難如天上摘星。購買進來的藥材不是品質低劣，就是泰半被醫官在帳簿上造假，轉手圖利。

儒醫出入惠民署並非什麼奇怪的事，但一旁戰戰兢兢的人卻越來越多，緊張得擔心自己的弊端會不會被揭發出來。而政浩本人又不能公開宣稱是來守護長今的，湊巧一直掌握不到實質證據的成均館人蔘流向的疑惑仍然存在，正好可以就此繼續調查。

長今也忙著自己的事情，沒法與政浩長時間相處。在其他醫女隨時會被叫喚去參加大大小小的宴會之際，長今則全心全意照顧病患，講授醫術，連藥材管理都得費心，根本沒有自己的時間。

夏天梅雨季節開始沒多久的時候，雲白突然過來找長今。

「又被趕出來啦？妳大概跟王宮沒什麼緣分吧！」

一見面就出口嘲諷，挑起了長今的怒氣，不甘心的立刻反擊。

「大人您還沒被趕出來嗎？典醫監的綱紀也實在是太鬆散了，不是嗎？」

「典醫監的綱紀還不勞妳擔心，我老早就被趕出來了！」

「啊？」原本只是開開玩笑，完全沒料到會得到這樣的答案。

「我只不過說，要我戒酒還不如叫我切斷與典醫監的緣分，結果當場就被趕出來了。」

「大人您也眞是的……那現在您要用什麼付酒錢呢？您該不會是想叫我請您喝酒才來找我的吧？」

「妳這女人，心腸眞刻薄。是妳自己說想要成爲醫女，我才盡心盡力地教導妳。現在竟然連杯水酒都不能買給爲師的喝嗎？」

「惠民署醫女的奉祿微薄，恐怕很困難。」

師徒兩人你來我往、無憂無慮的開著玩笑，帶著雨味的風吹進充滿潮濕熱氣的庭園，四處穿梭。

「好像快要下雨的樣子，那待會兒離去的路上就不會太孤單了。」雲白抬頭看看天色後說。

「您要去哪裏呢？」

這才仔細看了看雲白背上包袱的大小，的確像是要去遠地一般。

「想到處遊覽，兼上智異山去找些藥材。」

「您辭了典醫監的職務，現在又想開藥房嗎？」

「這個主意也不錯，那就請醫女大人無論如何牽個線，讓我可以動動惠民署的藥材吧。」

「大人請等雨停了再上路吧！」

長今擔心著雲白必須在雨中走遠路，也就掠過了他的玩笑言語。

「現在上路，等到達的時候，雨不就停了嗎？」

「這是梅雨啊。」

「等梅雨停了，瘟疫說不一定便會開始流行。對於貧窮的百姓而言，藥材在這個時候是最珍貴的。若想要在那之前先採集好，按方製藥的話，現在開始就非得加緊腳步不可，藥材的採集時期和調製是最重要的啊。」

「這些話我全是第一次聽到。」

「藥材裏也多少含有少許的毒性，因此，想要袪除毒性，就必須經過調製的過程。就算是相同的藥材，隨著調製過程的用心程度，其藥效也會有所不同。」

「有機會的話，希望能向大人學習那個方法。」

「沒有什麼特別的方法，只要夠用心就可以了。就像釀酒需要九蒸九曝一般，九次蒸麴、九次曝曬。要去除油脂，再加以曬乾，最需要的就是時間與用心。所謂的藥材有效與否，也就取決於調製的方法而已。還有，過季藥材的藥效本來就會降低，所以再珍貴之物，也要狠下心來捨棄不用。」

「如果惠民署裏有像大人一樣的醫官，就算只有一位，也就足夠了。」

「不是有妳嗎？」

「對醫女來說，能爲與不能爲之間的限制，實在是太嚴格了。」

「那豈是只有醫女才會有的感慨？」

雲白的聲音裏流露出惆悵，看來在典醫監裏一定曾發生過什麼事，才會讓雲白不惜捨棄厚祿，面帶空虛的表情，走上孤單的路程。

長今看著雲白漸行漸遠的孤獨背影，心想著所謂「自由」這兩個字的另一個解釋，或許就是「孤獨」。只有懂得捨棄的人，才能得到既崇高又孤獨的自由。雨的味道越來越濃了。

水刺間有一名宮女自盡的口信傳來，長今接到命令去瞭解事件的眞相，於是便和茶母一同進宮去。

三年有餘，才又再度回到了水刺間，走進屍體所在的宮女處所時，雖然盡力忍耐，但還是因爲百感交集，雙腿顫抖不已。

宮女們都跑了過來，但長今看也不看她們一眼，只是加快腳步朝房裏奔去。

觀察過屍體，看起來像是服了劇毒而亡。如果是自縊的話，通常會因爲脖子綑綁壓迫之故，咬傷吐出來的舌頭，但若是先服了毒藥才自盡的話，這件事就有點蹊蹺了。因爲不管是多麼精製的毒藥，服毒後應該都不會立即身亡。

就算是被賜死服藥的罪人，也會自己走回房間，再慢慢的死去。她們會先燒暖房間，以便讓藥性快點發作，縮短臨終痛苦的時間。碰上對象如果是武官或是體格健壯的人，光靠賜死藥還不足以致死的話，才會再加以絞死。因此，想要自殺的人，會選擇如此痛苦的方法，就常理而言，實在令人費解。

茶母的想法也差不多。

「嘴唇周圍的傷也是，可疑之處還不只這一、兩點，另外像內衣衣襟上沾染的汗漬，看起來明明就是沾上濕掉的葉子或泥土之類的東西，過了一段時間乾掉後所留下來的痕跡。」

「雖然可以假設是因爲找尋不到適當的上吊地點，才會在返回處所後服毒自殺，但無論如何，前後總有點矛盾。」

「看起來像是服毒自盡的吧？」

茶母拔下銀簪，打開屍體的嘴，放進喉嚨裏去，隨著時間的流逝，銀簪也慢慢變黑。

「應該是服了砒霜。砒霜裏的硫黃一旦與銀結合，就會變成黑色。但如果是自己服毒的話，嘴巴周圍不應該會撕裂成這個樣子。」

「應該是被什麼人強迫灌毒的吧。」

「那麼為什麼沒有把屍體移走，放在這裏就跑掉了呢？」

「強制餵食毒藥的話，至少得有兩個人以上才行，不是因為沒有力氣不能做，而是沒有時間的關係。」

「原來是這樣。那現在打算怎麼處理呢？」

「得從她周圍較親近的宮女開始見面約談，看看是招人怨恨呢，還是與什麼人發生了感情所致。」

「我也會私下調查看看。」

「對了，醫女您以前待過水剌間，認識的人應該不少吧。」

茶母的聲音低沉細微，長今得把耳朵貼近才聽得到，或者是怕被什麼人聽到，才故意降低音量的吧。

長今簡短的回答以後，就先行離開了那個房間。原先圍繞院子四周，竊竊私語的水剌間宮女們，竟不約而同驚訝地回頭看，並紛紛退讓開來。

那之中也出現了閔尚宮、昌伊和令路的臉孔，卻沒找著她最想念的連生。

「這不是長今嗎？在濟州島上清理馬糞的賤婢，又跑到宮裏來幹嘛？」

令路還是跟以前一樣，但這種人永遠不隨著歲月的流逝而改變，她的存在倒也是另一種欣慰。

「不要在我們眼前晃來晃去，最好快點走開。難道還不知道王宮不是妳隨便可以進來的地方嗎？」

令路開始明顯焦躁起來，仔細看看，這次發現她只有說話的口氣刻薄如昔，臉上卻沒有半點血色，連眼珠子也像被追趕似的透露出不安。

「就算妳叫我別走，我還是要走的，不過，」長今刻意停頓了一下後才說，「很高興看到妳呢。」

「沒見過像妳這麼不懂規矩的人，低賤的宮婢！竟然還敢用這種口氣對一個正九品官階的宮女講話？看起來還是跟以前一樣不懂分寸，隨隨便便。」

「非常抱歉！高興之餘一時便忘了本分，放肆之言還請您原諒。」

長今面含笑意，特意用尊重的語氣說話，令路馬上露出噁心的表情，繼續往原來要去的方向走。這時，躊躇在後的閔尚宮與昌伊才跑了過來。

「長今啊！真是好久不見了？」

「我們都不知道妳成了醫女，以爲妳還在濟州當官婢。」

「不管怎樣，都好高興啊！看到妳，就會想起韓尚宮嬤嬤來。」

閔尚宮雖然笑著，但眼裏的淚水好像就快要奪眶而出了。長今也覺得喉嚨哽咽，沒法馬上回話。

「妳一定吃了很多苦吧？醫女的工作累不累？」

「嗯。」長今不想說太多細節，轉而問候，「您過得還好吧？」

「我們好，當然都還好啊！只不過，水剌間的殺伐之氣越來越重，是個棘手的問題呢……」

「連生呢？怎麼沒有看到連生。」長今熱切的問。

「那個啊，嗯……」但閔尚宮卻吞吐起來。

「怎麼了？發生了什麼事情了嗎？」

「這裏耳目眾多，我們到比較安靜的地方去。」

閔尚宮礙於周圍的眼神，乾脆帶著長今到自己的處所去。

「最近氣氛變得很奇怪，想要和妳在一起說個話，也得看人臉色。唉！」

「看誰的臉色啊？」

「還有誰？若傳進了最高尚宮嬤嬤的耳裏，準沒好事。」

崔尚宮只是尚宮身分時，就把水剌間搞得烏煙瘴氣，現在成了最高尚宮，大家都得時刻小心提防。

「最近因爲提調尚宮嬤嬤與崔尚宮嬤嬤反目成仇，水剌間變得非常混亂，每天都要小心翼翼過日子才行。」

「提調尙宮嬤嬤與崔尙宮嬤嬤怎麼會反目成仇？她們之間的關係不是很親密嗎？」

「過去的事就別提了，如今崔尙宮成天只計畫著要扳倒提調尙宮。自從淑媛娘娘成了她的靠山以後，就像自己已成爲提調尙宮的上司似的，不停的刁難她。」

看來水刺間最高的位置仍無法滿足崔尙宮，現在，連過去一路支持她的上司位置，都忍不住覬覦起來。崔尙宮的權力欲望彷彿永無止盡一般，這世上大概再也沒有比權力欲望的爭鬥更醜陋，也更無情的了。

「那麼，連生現在在哪裏呢？」

「這事我們也在好奇呢。她昨晚被提調尙宮嬤嬤帶了去。可是問同房的生角侍，卻說到今天早上都還沒回來。」

「提調尙宮嬤嬤爲什麼要把連生帶走啊？」

「就是嘛，我在想啊……」

閔尙宮壓低聲音，話都還沒說完昌伊就連忙攏著手插進來說：「唉，又是這些老話！就跟您說了不是嗎？事實絕對不是那樣。」

「妳這孩子！那我們就等著瞧吧，看看我的話對還是不對！」

「到底是什麼，請說得明白點，讓我也能聽得懂。」

「我是在說我自己的想法啦。提調尙宮嬤嬤好像是把連生帶去侍候王上了。」閔尙宮表示。

「連生想要侍候王上御膳，不是還太早了嗎？」

「瞧瞧妳，已經都改當醫女了，怎麼腦筋還是這麼直。」

「請聽我說，我想那都是尙宮嬤嬤您自己的異想而已。」

「什麼異想啊，我說連生要承王上恩寵，是那麼不可思議的想法嗎？」

「不是說那件事異想天開，是說嬤嬤您會那樣子想，實在很奇怪。」

「連生要承王上恩寵……您的意思是提調尙宮嬤嬤其實是有什麼目的，才會計畫那種事嗎？」

「妳想想看，崔尙宮嬤嬤自從有了淑媛娘娘當靠山，就開始覬覦提調尙宮的位置。提調尙宮嬤嬤當然也想要如法炮製，所以才會在連生身上下工夫。連生個性善良，長得好看，又有小女兒嬌態。」

「可是爲什麼一定要挑上連生呢？如果是那種意圖的話，大可以在自己家門中找啊，那樣也比較可靠，又值得信賴。」

「提調尙宮嬤嬤的家門那邊，女孩十分珍貴，而且好像也沒有年齡適當的人選。」

「再說，還有誰比連生對淑媛娘娘或崔尚宮嬤嬤抱持著更強烈的報復心？」
「說得對，說得對，看來妳的腦袋已經開始會轉動了。」
昌伊也只不過才附和了一句話，閔尚宮卻像得到千軍萬馬的支援般，逗趣十足的大聲起來。
但長今卻陷入了長考，沒有誰像連生那般對淑媛及崔尚宮抱持著報復心……這句話不用問也知道是什麼意思。就是她們，奪走如同親祖母般疼愛自己的丁尚宮性命。另外，韓尚宮對連生來說，等於代替了死去母親的地位，還有從小一起長大的唯一玩伴長今，也被她們不斷的欺負。
連生等於一下子便失去三名摯愛的人，只剩下她獨自一人。那三個人對連生來說，可謂代表了一切。雖然沒有確實的證據可以證明陷害韓尚宮和自己的，就是崔氏一族，但對連生來說，那樣的結果，已足以構成怨恨她們的理由。
「該不會和這次水刺間宮女自盡的事件有關聯吧？還是，連生該不會被綁架了吧，我最擔心的是這點。」
「提調尚宮嬤嬤是當著我們的面帶走連生的，絕不會有那樣的事。說來說去，心伊也眞的是可憐啊！」
「那宮女與妳們很熟嗎？如果說是水刺間的宮女，我應該也知道才對啊，但我從來沒有看過她。如果現在的身分是內人的話，應該是與我同期進宮的生角侍，不是嗎？」

「聽說是訓育尚宮嬷嬷到處徵集生角侍時，無意中發現帶回來的。年紀不小，但才能不凡，所以特別拔擢爲內人。」

「會有什麼說不出口的事情，逼得她非尋短見不可嗎？」

「就算有，既然是說不出口的事情，我們又怎麼會知道呢。」

「之前沒有什麼奇怪的地方嗎？」

「奇怪之處？有啊！當然有。」

「請您詳細告訴我。」

「心伊是個個性活潑，才能出眾的孩子，竟然會尋短，天底下還有比這更奇怪的地方嗎？」

「她個性活潑嗎？」

「是啊。聰明伶俐，心腸又好，破例成爲內人後，我們也都很喜歡她，是個充滿俠義心，路見不平拔刀相助的孩子。」

「您該剔除一個人才對。」

「剔除？誰啊？」

「還有誰啊？一天到晚欺負心伊的人，除了令路還會有誰。」

「對啊！令路那個壞心眼的，只要看到心伊就恨不得好好的欺負她，就像過去欺負妳和連生一樣，一肚子壞主意。」

長今點點頭，沉浸在自己的思緒中。聰明伶俐、才能出眾的宮女，一夕之間決定抹殺人生的一切，自盡了結，並不是件容易的事情。但是若發生在水刺間，尤其又是由崔尚宮所掌握的水刺間的話，聰明伶俐、才能出眾的宮女就有可能莫名其妙、不留痕跡地消逝無蹤。說不定，這次的事件會是向世人揭穿崔氏一門邪惡兇狠的絕佳機會。

長今與茶母會合，告知上述的事實後，馬上就去找洪淑儀。

「聽說妳到惠民署去了，我還擔心得很，現在看到妳就放心多了。那時應該先來找我去說情才對，怎麼他們叫妳走，妳就乖乖地聽話走了呢？」

淑儀看到長今非常高興，立刻伸手拉近，要她坐下來。

「突然離開，也沒能向您問候一聲。現在您的病況如何了呢？」

「一天比一天好，全是妳的功勞。」

「奴婢惶恐至極。」

「這次回來，不會再離開了吧？」淑儀滿懷希望的問。

「不是的，承您厚愛。只是因爲水刺間有一名宮女自盡，惠民署派我過來看看，我才進宮來的。」

「有這種事！怎麼會有宮女自盡？宮女是絕對不能死在宮闕裏的，不是嗎？」

「詳細情形還不清楚，不過說是自盡，仍有許多可疑之處。」

「可疑之處？那麼，妳的意思是說有人在殺害她之後，再僞裝成自盡的樣子嗎？」

「目前還沒法如此斷言。不過請您見諒，奴婢有一件要緊事想請教娘娘。」

「妳說說看，只要是我知道的，不管是什麼，一定都會告訴妳。」

「最近宮中是否還發生過放恣事件嗎？」

「放恣事件嘛……那個我不知道，我只聽說有淑媛爲了得男，召了女巫跳舞祈神的傳言。」

「就在宮裏跳舞祈神嗎？」長今深感詫異。

「還不是自私的想在王后娘娘生下太子之前，先一舉得男。」

「就算是那樣，不是還有章敬王后生的太子在嗎？」

「反正一定先得男，其他的以後再說。而且，後宮人人不都希望膝下至少得有一子才行嗎？」

無論崔氏一門對權力多麼覬覦，應該也不會毫無顧忌的圖謀那種事吧。想起當年韓尚宮總想以實力光明正大的和那些人一決勝負，眞是令人尊敬又感到驕傲。

「那些人連現在都如此恣意亂行，要是讓她們生下兒子，難以想像她們會把宮裏搞得多麼混亂。王后娘娘是位沒有妒心、極具婦德的人，所以還按捺得住，但是忍耐也是有個限度的啊。說到這裏，我把妳以前收集給我的露水和茶拿去孝敬王后娘娘了。」

「是嗎？」

「娘娘大大稱讚，我只簡單的說此茶出自何處而已，沒想到娘娘知道妳的名字呢！說妳當年曾經盡力照顧過她的保母尚宮，是嗎？」

「是啊，只是沒想到王后娘娘竟然還記得我的名字。」

「好像是在水剌間最高尚宮比賽時，也會留下深刻的印象吧。看起來她對妳得不到機會發揮才能感到無限惋惜的樣子，還吩咐說如果妳返回王宮的話，要我一定記得帶妳過去拜見呢。」

長今聽到了意料之外的好消息，帶著愉悅的心情離開了淑儀的房間。眞的沒想到王后還記得自己的名字，甚至連最高尚宮比賽時的事情都沒忘記。師徒二人聯手投入那場充滿挑戰的熾熱比賽，一國之母竟然還記在腦海裏。

長今直直穿越淑儀殿前的廣場，抬頭望了望天空。雲層積得厚厚的，好像就快下大雨的樣子，然而感覺上，韓尚宮也彷彿就在那上頭向下觀望似的。

比天空堆積著更濃厚烏雲的，是崔尚宮臉上的表情，令路的臉色則由慘白轉爲發青。

「我的吩咐妳都沒有好好當回事，怎麼會把事情處理成這個樣子，啊？」

「我的確有遵照嬤嬤您的指示做過確認……」

「確認過了？那妳的意思是說她變成鬼自己跑回來了嗎？」

「明明就已經斷氣了啊。」

「那爲什麼吃了砒霜、斷了氣的人，還能夠跑回去，死在自己的處所呢？」

「那個……那個……我也不知道爲什麼，心裏納悶得很啊！嬤嬤您曾說不管發生什麼事，一定要確認她斷氣，所以不只是我一個人，別的宮女也都一起確認過了呀！」

「沒看過做事這麼糊塗的人！連件事都無法好好的處理，早知如此，打從被心伊逮著的時候開始，我就應該自己動手才對……」

崔尚宮用手按了按太陽穴，話說到一半就停了，就連坐著也好像底下有刺一般的動來動去，顯得很不安的樣子。幸好是在她自己的處所被發現，而且人已經死了，這一點還眞是幸運。大概是爲了想通告他人自己的死因不單純，才會拚著最後一口氣，回到處所後才甘心斷氣吧！服下劇毒的身體，還能夠撐那麼久，走那麼遠，要論韌性與執著，可能和明伊不相上下。

剛聽到消息之初，還以爲是明伊的惡夢重現，心臟怦怦跳個不停。那是在長今再度出現後才剛了結的事，更糟的是，從那時就擺脫不掉那種不舒服的感覺。

指使令路在王后的火鍋裏放入辰砂，就是想好了萬一被發現，也還留有分辯的餘地。辰砂雖然是礦物，但味道很甜，如果磨成粉末，可以成爲具有良好鎮靜與鎮痙作用的藥材。不僅可以安定神經，還可明目，幫助氣血循環，讓臉色看起來紅潤。在發高燒、精神混亂、胡言亂語的時候；易受驚嚇、心跳劇烈的時候；心窩痛症或驚風症狀嚴重的時候，都有很好的療效。唯獨碰到熱氣時，會轉成有毒性質，爲什麼要特意加進火鍋裏，就是因爲這個道理。

偏偏令路在放磨碎的粉末時，被眼尖的心伊看到，雖然她也照先前交代的說法辯解，但聰明的心伊卻沒有就此罷休。爲了不再重蹈滅口明伊不成的覆轍，捨棄附子，改以砒霜灌食，也沒忘記再三交代一定要確認她眞的斷氣。然而事情還是出了差錯，被灌下砒霜的人，到底是怎麼回到自己的房間，實在令人百思不解。更糟的是又提早被同房的宮女發現，自己還來不及加以遮掩，消息就傳到義禁府去了。

不管怎麼樣，讓崔尙宮心底最感到不安的，還是長今的存在。只因爲不確定她是否已從韓尙宮那兒聽說了有關她母親的事。就算她還不知道，但只要她負責處理這件案子，看來她就算拚了命也會查個水落石出。

首先要做的事情，就是想辦法把長今趕走。只要想到那孩子還在宮裏頭，就算沒吃東西，也會一陣反胃。

頭痛不已的崔尙宮趕緊打起精神，開始書寫要傳給吳兼護的信函。

長今與茶母會合，各自以自己所調查到的內容爲基礎，推論事件的眞相。

「從屍體的僵硬程度來看，應該是壬時尙未過完就死了，也就是說砒霜大約是在亥時與子時之間吃下的。」

「確定是毒殺嗎？」

「雖然沒有物證，但在初檢時若有難解之處，可以進行複檢，複檢就交由其他茶母擔任。」

「如果這樣還是無法捉到犯人的話呢？」

「那就進行第三次、第四次的調查，然後將所有進行調查的茶母全部集合起來，提出各自的看法來討論，必須要得到一致的結論，才能結案。」

「原來需要那麼仔細的調查，我都不知道呢。」

「通常發生在宮裏的殺人事件，大多被悄悄的掩蓋下來，所以這次可說是非常罕見的例子。不知道是不是因爲太驚慌了，發現朋友死了的水刺間宮女並沒有先向自己的上司報告，反而直奔義禁府，我想那名宮女現在應該會大受責難吧。」

「以前也發生過同樣的情形嗎？」

「我沒有親眼看過，不過聽說是有。那次下毒事件用銀簪也找不出有什麼不對勁的地方，差點就以自盡終結此案，後來還是以雞蛋和飯才證明是殺人事件。」

「用雞蛋和飯怎麼證明那樣的事呢？」

「聽說是用蛋白混合了飯粒，放進屍體的嘴巴裏，再用紙封住口，然後放上燒熱的酒粕，才知道是被灌水銀毒殺死的。」

水銀與蛋白質結合會產生反應，所以才會使用蛋白和飯粒。學到新知識的長今雙眼立因好奇心而炯炯發亮。

「我不知道會進行那麼精密的檢查，眞是令我眼界大開。」

「因爲是發生在位高權重的人身上才會如此愼重，當然不常見囉。平常不就是一般百姓的死亡嗎？誰會像這樣大費周章，一一去調查清楚啊？」

「說得也是。我們進宮之前，在惠民署裏都聽說這是自殺事件呀！可是不管是誰，一眼都可以看出這並非自殺，爲什麼會有那樣的通知傳到惠民署去呢？」

「那大概是有人希望以自殺案件終結所以刻意傳送的吧。回去以後得先去瞭解一下，還有事件發生當晚，有哪些宮女不在房裏？這樣或許可以初步找到嫌疑者。」

「宮女都是兩人共用一房，一個個約談，一定可以找到那個時候不在房裏的人。」

「雖然有點麻煩，不過還算是個不錯的方法，那我們現在就開始這樣進行吧！」

但是茶母一個人都沒見到就得回去了，那是因爲接到惠民署通知，要她們中斷一切調查，趕緊回去。

長今當然也無法繼續留在宮裏，看來似乎是有人爲了遮掩事端，遊說了惠民署提調。雖感氣憤，卻也無法抗命硬撐著不走。只好先回去稟告事件的始末，再請求調查的機會，除此之外，可能也別無他法了。

應該快點離開才對，但長今不想再度不告而別。不知道這期間連生回來了沒有？想了又想、念了又念的這個地方，還是一如往昔，絲毫未變。放著新鮮蔬菜的菜盤、摘揀蔬菜的生角侍，在她們之中走來走去，交代事情的內人……鮮紅梁柱，深綠丹青，還有層層重疊的杯碗瓢盆……

這充塞在寬廣庭院裏的水剌間景觀，就算在夢裏，也經常如實景般不斷出現啊！

閔尚宮的工作地點怎麼會正好就是韓尚宮昔日忙碌的地方呢？看到背影的瞬間，長今的臉上露出燦爛的笑靨。光看圍裙上下方二回裝背心的後緣，心臟就劇烈地跳動個不停。

一時之間，長今完全忘記了歲月的流逝，只想要奔向韓尚宮，但費力向前邁出的腳步，在閔尚宮轉過頭來看清面孔之際，便瞬間放慢了下來，心情也轉為虛空。現實儘管無情卻不容置疑，陡然失去重心的腳步，差點踉蹌跌倒。

「長今妳來了啊？怎麼回事？頭暈嗎？」

「不是的。剛剛接到緊急通知，要我馬上回去惠民署。」

「那麼快就要回去啦？我還想就算只有我們，也請妳過來用個餐什麼的……」

「一定還有再見的機會。對了，連生回來了嗎？」

閔尚宮大力的搖了搖頭，又靠近長今耳邊壓低了聲音說：「就跟妳說連生是去承王上恩寵了，絕對沒錯。」

「沒看到連生就得離開，眞的很依依不捨。如果眞有什麼事情發生的話，請您一定要捎個信到惠民署來給我。」

「當然。妳不用擔那麼多心，趕快回去吧。」

「是。」

「要小心身體啊！」

茶母在水剌間門口等候，一看到長今，便立朝惠民署的方向邁步離開，長今不得不小跑步上前，以縮短兩人的距離。

突然額頭上一片冰涼，伸頭一看，還眞的下起雨來了。烏雲彼端傳來陣陣的雷聲，看來豪雨就快要傾盆而下了吧。

再度加快腳步，心中卻湧起強烈的依依難捨之情，想回頭看，但回頭也只會加深沉重的心情而已，遂專注前方堅定的跑去。朦朧的風雨視野裏，連茶母的身影都已消失不見。

臉上還帶著驚恐表情的連生一陣風似的跑進水剌間。

「妳去哪兒？到現在才回來啊？怎麼變成這個樣子呢？」

閔尚宮一看到連生，馬上大聲地喝叱，臉上混合著高興與惋惜的矛盾表情。

「長今來過了!」接著又說。

「嗄?誰來啦?」連生根本無法相信自己的耳朵。

「我說長今來過了,才剛剛出去,妳進來的時候沒看到嗎?」

連生話幾乎還沒聽完,便急忙往外跑。雨已經粗大到打在身上會感覺刺痛的地步,受地上的積水絆羈,腳步也無法走快。高低不平的地面,最後終於讓疾奔的連生脫落了一隻宮鞋,她也因而失去平衡,仆倒在地上,身體在泥漿裏掙扎了一陣之後,終於不得不放棄追趕。

「長今啊!」

奔騰的大雨中,連生用力睜大了眼睛向前望,但除了粗大的雨點之外,什麼都看不見。

「長今啊!」扯開喉嚨大聲地呼喚,但耳中聽到的,卻也只有大雨落地的回音。

「長今,也把我帶走吧!我一個人活不下去了,再也活不下去了啊!也把我帶走吧,長今啊!」

連生也沒想到要起身,直接用雙手蒙住臉孔,便放聲痛哭起來。斜飛的雨絲毫不留情的打在她的背上。

「至少也要把刀拿走啊！爲了給妳，我一直好好保管著，妳知道嗎？妳說那是韓尚宮嬤嬤給妳的，所以珍之重之的那把刀啊……妳被趕走的時候，空著手離開，什麼都沒有帶去。長今！長今啊！我好想妳！」

雨像鳥翼尖端一般，銳利地刺著後腦勺，連生不閃不避的淋著雨，茫然地在雨中哭泣。

從京畿道安城傳來瘟疫流行的消息，朝廷緊急下令主管傳染性疾病的官廳，要東西活人署與惠民署的醫官們共同組成派遣隊。

閔政浩也以儒醫身分編入隊伍中，南下安城。

安城向來無天災人禍，號稱平安之城，但瘟疫一來卻讓此地成了活地獄。安城是有三面屏障圍成的府縣之一，也是儒生赴京科舉時必經的吉祥地，另外輸納到京城的物資亦全部集散於此，因此不管何時，安城都擠滿了外地前來的人群，而那些人留下的東西，可不是只有葉錢而已。

對百姓來說，再沒有比瘟疫更可怕的了。根據《朝鮮王朝實錄》裏的記載，朝鮮中期兩百年之間，總共發生過七十九次的瘟疫，光是死亡人數超過十萬名以上的就有六次。

霍亂是在對外貿易大爲盛行的朝鮮後期傳入的，但此一時期極爲猖獗的瘟疫，在流傳後世的文書記載中，卻只留下大疫、瘴疫、癘疫、疫疾、輪行、時疾、時疫等名稱而已，因此也無從得知其正確的病名和症狀。僅能猜測是傳染性極強，致死率極高的傳染性疾病事件。

一般老百姓避開瘟疫的唯一方法就是逃離，史書記載每當瘟疫嚴重時，都城百姓十之八九都避走他鄉，這說明了當時的醫療水準或救治對策，在傳染病之前均束手無策，只能任其肆虐。

誕生地用來埋骨，向來是農耕民族覺得最理所當然的事，如今卻得爲了活命而離開故鄉，但即便忍痛離開，最後仍大都因流浪於窮鄉僻壤之間，落了個客死他鄉的悲慘結果。

從瘟疫中僥倖存活下來的人，心中就此留下了比死更恐怖的傷痕。不知自己何時會染病的恐懼、離開故鄉的孤寂、失去家人的悲傷、適應異鄉生活的艱辛等等，全部都是言語所難以形容，卻又不得不面對的痛苦。爲了生存而逃離故鄉，然而在流浪之處所等待著的，卻是必須想盡辦法活下去的悲慘情境。

瘟疫一旦蔓延，當年農事就等於全廢，連松樹都會被饑民連根拔起，一葉不留。饑荒逼得人與禽獸幾無分野。父母拋棄幼子逃亡的事時有所聞，甚至還傳出殺死子女，以食其肉的人倫悲劇。

醫官們診病時也都提心吊膽，因爲照顧病患而感染瘟疫的事情時有所聞。因此，漸漸的，在進行醫療救治時，都只是裝裝樣子罷了，積極出面治療病患的醫官少之又少。

這次的情況也不例外，醫療機構都集中在漢陽，如果地方發生瘟疫，百姓們能選擇的，就只有等死或者逃亡他鄉兩條路而已。地方官衙裏雖設置有月令醫與審藥等職官，負責檢驗與調製藥草，以及教育醫學生等工作，但大多有名無實。這些人平日僅關注藥材調製這一部分，那是因爲可藉此中飽私囊之故。

派遣隊同樣也令人覺得齒冷心寒。瘟疫擴散時，通常惠民署會搭建臨時醫帳，負責病患的治療與看護；東西活人署則負責掩埋屍體，但他們所做的事情，其實大半都只會在旁隔岸觀火罷了。

不管是東西活人署還是惠民署的醫官們所組成的派遣隊，實際上都是些只會袖手旁觀的草包。體認到這個事實的政浩感到義憤填膺，不管如何懇求，甚至是威脅，他們還是都不爲所動。

他們全沒有想到要深入村莊，在不斷死去的百姓中能救一個算一個，只急著放把火燒掉整座村莊，完全沒有直接治療病患。結果不計其數的無辜百姓還沒眞正斷氣，就跟著房子一起被火舌吞噬。

再也看不下去的政浩思索著如何將重症病患另外集中隔離的方法，可恨的是即使到了這種時候，醫官們還是一副事不關己、忙著脫身的模樣。沒辦法，他只好尋求守令派來的士兵與病患家屬的協助，把他們集中到一個村莊裏，再用草繩將已疏散一空的村莊全部圍繞起來，並到處設置士兵嚴密看守，不讓任何人進去。

像野火燎原一般的瘟疫因此終於獲得控制，政浩才得空能到鄰近的村莊去看看。萬萬沒有想到一進入村莊，迎面而來的便是一股混合了梅雨濕氣與肉被燒焦的濃厚臭味，外加牲畜的痛苦哀嚎聲。村莊中央火苗竄起，像要把天空都一併燒掉般，以猛烈的氣勢熊熊的向上竄燒。

起火的地方傳來人們求救的呼叫與牲畜慘厲的哀嚎。跟著聲音尋找過去，深入村莊偏僻處的政浩一見眼前的光景，不禁啞然失色，好一陣子發不出聲音來。

超過二十名左右的男子不是頭被打破，便是撞爛鼻子、撕裂耳朵，現場堪稱血流成河，其中也有眼睛大張，卻難以分辨是死或傷的人。

大致一看也知道這些人不是染上了瘟疫，明顯是因爲集團械鬥而受了傷。斧頭、鐮刀和木棒等物品棄置一地，也證明這的確是一場械鬥。

政浩向發出呻吟聲的男子跑去，從無法移動半寸的情況來看，應該有什麼地方骨折了。攙扶起那名男子，施予緊急救治，讓他靠在茅草屋的土牆上後，男子才慢慢開始敘述之前的情況。

「因爲我們村莊裏的醫員手中正好有一些治療瘟疫的特效藥，對面村莊的人想要來搶，一舉攻進，才會演變成這樣的慘況。」

「瘟疫特效藥？那到底是什麼呢？」

「我也不知道究竟叫做什麼藥名，但我身上剛好還留有一些沒被搶走的。」

男子摸索著腰間，掏出來一些藥劑。政浩仔細看過之後，發現是放了藿香和陳皮之類的回生散。這是用來治療因霍亂而導致腹痛、嘔吐和狂瀉不止等症狀的處方藥材。或許把這些藥給有類似症狀的患者服用，可以馬上止吐和止瀉；但說到底這終究不是用來對付急性傳染病的特效藥。

「這是打哪裏拿來的？」

「向村裏的醫員買的啊。」

「醫員現在在哪裏？」

「不知道，可能早就逃走了吧。」

「醫員就這樣把這種東西分給村莊裏的人嗎？」

「哪是分給我們的啊，不但得獻上白米三斗，還得一再請求拜託才拿得到。

唉，就是因爲這個東西，村莊之間才會互相打群架，大家也才會死的死、逃的逃，誰會平白無故就給我們呢？」

「醫員家在哪？」

「去了也沒用啊……」

嘴裏雖然這樣說，男子還是詳細告知了醫員家的路。順著他指示的路往上走，繞過柿子樹再向左轉，果然看見醫員以枳樹圍籬的家。

如原先料想一般，醫員不在，只有一位年紀甚大的老人拄著木杖，坐在走廊邊，遙望著遠處的山峰。眼珠混濁無神，牙齒也全掉光了，感覺上，就像隨時都會與老舊的走廊一起斷裂跌落的樣子，但看得出來並未染上瘟疫。

「老爺爺，這裏是醫員府上，沒錯吧？」

問了好幾次，老人只是茫然地注視著他，看來不像是耳聾的模樣，可能是受到什麼衝擊，因而無法言語吧。說不定是無法接受身爲醫員的兒子竟然會拋下年老的父親，只帶著自己家小逃走了的關係。

「醫員哪裏去了呢？」

老人對這句問話還是沒有回應，雖然心裏著急，政浩也只好先背起老人再度走了下去，然後拜託身體情況良好的人照顧他，約好一待辦好事情，就馬上回來施予治療。

政浩一想到或許別的村莊也發生了類似的事件，心裏變得更加焦急。

「大人！」

政浩正要轉身邁開大步之際，老人才慌忙的喚住他。

「跑到山裏去了。」

「嗯？」

「他們大概躲在村莊後山的山洞裏吧。」

向老人道過謝後，政浩便朝山裏走去，此時天色已經開始暗了下來，政浩不禁有點躊躇，還是先向派遣隊或守令報備，再帶著幾名士兵一同前往比較好，但那樣的話，就又得過了今晚才能進行。

雖然心裏惦著派遣隊所在的村莊，但腳步卻不知不覺地往山裏走去，反正只是想要跟醫員追問一下回生散的來源。就算他是個醫員，也不可能囤積了那麼多的回生散，所以政浩認爲騙大家說回生散是治療瘟疫的特效藥，從中獲取暴利的，肯定另有他人。

在此彷如活地獄的世界裏，竟還一心想著牟取個人私利，滿足個人私欲，他絕不能放過那些人；一定要設法逮捕他們，讓他們認罪。同時，趁此機會安撫每當瘟疫橫行時，就被禍國殃民的不法商人壓榨的老百姓脆弱的心靈。

政浩帶著堅定的決心，開始朝山裏邁步。

趕在天色變得全暗之前，政浩找到了老人所說的洞穴，洞口雖用樹枝遮蔽僞裝，但只是隨便弄弄，一眼就看穿了。

政浩擔心裏面或許還有其他的同路人，先抽出短刀才走了進去，然而裏面除了醫員的家人外，其他連個影子都沒有。妻子正在給小孩餵奶，醫員則是一臉疲憊的表情，將頭抵著洞穴的牆壁。或許是拋棄老父逃到此地後，看到餵哺子女的樣子，心頭升起對自我的嫌惡感吧。

感覺到旁邊有人，醫員嚇了一跳，猛然抬起頭來。

「誰？」

「我是朝廷派來的儒醫。」

「你怎麼找到這個地方的？」

「你沒有必要知道，只需要告訴我用來騙人說是特效藥的那些回生散，到底是從哪裏拿來的？」

醫員睜大了雙眼，盯著政浩看。妻子雖然臉露驚嚇的表情，仍沒有停止餵奶的動作，只是把小孩抱得更緊了一些。爲了躲避鄰村成群結隊前來討藥的村民，已經逃亡到此，想不到反而被朝廷派遣來的儒醫逮到，怎不令他們驚恐萬分。

「賣藥欺騙大家並非出自於我的本意，那是因爲有人威脅我，說那是可以治療瘟疫的特效藥，我也是有苦說不出啊。」

「是誰？誰威脅你？」

「我也不知道是誰，他們自稱來自惠民署，帶了好幾名彪形大漢過來。」

「從惠民署來的？竟然有人膽敢冒用惠民署的名號在外招搖撞騙。好，那麼在那些人中，有沒有面熟的人？」

「邑城裏從事藥種商的辛家人也夾雜在其中，那個人兼做採蔘者，在這附近可說是惡名昭彰。聽說他以暴力控制這附近的採藥人，總是賤價買入藥材，再以高價賣給漢陽藥種商，從中牟取厚利。」

「到哪裏可以找到這個人？」

「這個嘛，平常如果去邑城的藥材店，就可以看到他，不過現在我就不敢保證了……」

醫員忽然轉爲沒什麼自信的聲音，話說到一半就停了，大概是害怕會遭到報復吧！在天變得更黑之前，非得下山不可。政浩只好趕快從洞穴中退出來，但突然想起他還有話要說，便又回身丟下一句：

「想不到身爲醫員的人還會拋棄老父，只顧著自己的活路，那麼一般貧窮的老百姓們又該如何是好？」

政浩隨即退出山洞，一鼓作氣向前跑。月光雖然有點昏暗，但勉強還可以分辨方向。

到達邑城的藥材店時，酉時已過。政浩在緊閉的門前首度有點遲疑，先前認定這個以暴力荼毒鄉里的人不會就此逃跑，但現在看來，自己對這鼠輩似乎有些評價過高。

看來自己是白跑一趟了，現在要緊的是趕快回到架了醫帳的村子裏去。自己不在，恐怕派遣隊或守令不見得有辦法讓士兵們好好看守。就在這麼想著，腳步正要往回走的瞬間，藥材店後面的草屋驀然亮起了燈火。政浩轉念一想，或許還有人在，便走進院裏出聲呼喚。

「有人在嗎？」

門乍然開啓，冒出一個面貌凶惡的男子來。

「誰啊？」

「這裏是不是藥材商店主的家？」

「今天不做生意。」

「你就是藥材商店主嗎?」

「沒錯。」

政浩不再打聽下去，一把伸出手去就把男子拖了出來。雖然那人的身材如熊一般魁梧，但還是對抗不了內禁衛從事官出身，身手俐落的政浩。

政浩一下子就制住了男子，將他雙手反剪到身後，讓他動彈不得。

「你這傢伙憑著一身蠻力，壓榨貧窮百姓，眞是罪該萬死。但這種事情，絕非你一個人做得出來的，主事者到底是誰?」

「去你的，我什麼都不知道。」

「一定要把你拖到義禁府去，你才肯開口嗎?」

雖然是個不知律法、橫行鄉里的人，但聽到義禁府三個字，也不禁喪膽。

「小人只是把崔判述商團拿來的藥賣了而已。」

「崔判述，是那個人所做的嗎?」

眞是個天生貪婪之輩!他非得將國家的財富與權力全部掌握在手上，才會滿足似的。只要那個人存在一天，朝廷與百姓就沒有安寧的日子好過。政浩心中有了定奪，這次絕對不可再輕易放過他!心臟也因激動而劇烈鼓動著。

「給我詳細地說出崔判述商團做了哪些好事！」

「把藥材交給漢陽藥種商時，如果不是在崔判述商團所指定的地方交易的話，就無法隨意販賣；也不能討價還價，只能接受他們給的價錢，我們的處境就是如此。那樣買入的藥材，當然得趁現在這種時候高價賣出啊！」

「這種情形是從什麼時候開始的？」

「由來已久了，我們也只是一直照指示去做而已，誰也不敢在行動上有所違逆啊！」

「知道在中間主導奔走的人是誰嗎？」

「是在仇里介從事藥種商的人，那個人身旁邊經常帶個領頭的一起行動，另有好幾名壯漢尾隨在後，聲勢頗大。」

不必再聽下去了，政浩將男子交給官衙後，馬上往派遣隊停留的村莊折返。心裏想著後頭的事情就交給他們去收拾就好，自己得快點進宮謁見國王才是。同時也已經盤算好，什麼上疏、告發之類的事都不要浪費時間去做，直接向王上稟告崔判述喪心病狂的惡行，懇請王上嚴懲就是。

梅雨季節還沒完全結束，天上無月也無星，全都如同被雨淋濕的木炭般，一片漆黑。道路旁邊的田埂裏，青蛙扯開喉嚨發出亢奮的叫聲，吵得連耳朵都快要痛起來。

相隔遙遠才會出現一戶的民家，全都被火燒得不是沒了屋頂，就是只剩下搖搖欲墜的空殼，彷彿張著一張張漆黑的大嘴，活像隨時會有鬼魂跑出來似的。

面對角落的一間廢墟裏，突然閃出幾個人影來。

「哪裏來的宵小之徒？」

政浩快速後退，大聲喝問。但持刀相向的人影無聲無息的緊靠過來。一、二、三、四、五……自己一個人同時要對付那麼多人，似乎有點勉強。

在這伸手不見五指的黑暗中，唯見銀白色的刀刃如閃電般閃爍。政浩集中注意力在切割黑暗的刀刃上，身體不停的東閃西躲。然而，光憑一把短刀，想要對付五名揮舞長刀的男子，終究還是太過勉強了。左肩關節和左腰很快便傳來火炙般的劇痛，身體也無法再隨意念行動。最可怕的是，好像才剛感覺到動作變得遲緩，肚子就被利刃刺中，還穿過了內臟。

刀尖刺穿之處感覺怎麼那麼冰涼、那麼空洞？政浩不自覺地用手覆住了那個地方，短刀落地的同時，雙腿也軟了下去。

政浩仆倒在地的身軀向上拱起，抽搐了幾下後，就完全不動了。暗影中隨即走出一個人，像翻魚一般，把政浩的身體用力的翻動一番。

「死了沒？」

低沉陰鷙的聲音劃破了黑暗。

「已經聽不到呼吸的聲音，還需要再結實的補上一刀嗎？」

「拖到那裏去，自然會被收拾掉，丟著吧！」

人影中馬上跑出四個，分別抓住四肢，開始往廢墟後面搬。這棟連圍牆都沒有的房子，居然能夠避開大火，好好的佇立在那裏。只是，稱得上門的全都被拆掉了，裏外難分。一隻體積龐大的貓往下窺視廳房地板，轉瞬又像支箭般消失無蹤。

人影將政浩丟進門戶大開的房間後，便迅速消失，這時，之前一直在屋頂上觀察他們行動的大貓，才偷偷摸摸地跑了下來，而且不知何時又多了同伴，這回共有三隻貓，默默的凝視一切。

到達邑城，一看到市集街，一行人便稍稍放慢了腳步。帶隊者一面問路，一面吩咐大家解解渴，順便休息一下。大夥兒只要一找到了空位子，就趕緊坐下，先把鞋子脫了。長今也夾雜在惠民署醫官與醫女組成的後援隊伍中。

「酒母，拿水來！」

「還有把泡腳的水也拿來！」

「不如先給每人一碗清涼的濁酒吧！」

就算已經看到酒母一個人奔來跑去的忙碌樣子，醫官們還是不肯放過她，一會兒要這個，一會兒又要那個。

「怎麼這麼溫啊？這也叫酒嗎？」

聽到大聲喝斥的聲音，回頭一看，醫官正搖晃著酒杯，睜大眼睛瞪視，那是在惠民署裏唯一一位會刁難及折磨醫女的醫官。

「那是泡在井裏，剛剛才拿上來的酒啊！」

「什麼？妳的意思是說我故意找碴嗎？妳這賤人，把惠民署的醫官當成了什麼？」

醫官轉向酒母，竟然把酒杯往她臉上丟去，結果杯子掉落在地，裏頭的濁酒則濺得她滿頭滿臉。

「來休息的人就安安靜靜的休息，幹嘛浪費酒？」

口出譏刺之言的是一個背對他們用飯的客人，長今覺得聲音聽起來很耳熟，立時伸長了脖子想要看清楚那名男子的背影。

「什……什麼？」

「有那個力氣把酒杯丟到無辜的酒母臉上，就該多用點力在救治百姓上。」

「什麼？你這傢伙！」

醫官一站起身，男子便也轉身帶著昂然的氣勢對立，是雲白！別的醫官趕緊阻止想要向他衝過去的醫官，之中剛好有一人認得雲白。

「這不是典醫監鄭雲白鄭大人嗎？」

雲白以大聲的咳嗽代替回答。

「你這人眞是，失禮到極點，還不快向大人謝罪。」

搞清楚狀況的醫官馬上換上訕訕的表情，請求原諒，但雲白僅回以更大聲的假咳，便走出了客棧。

「大人！」

看到長今，雲白並未顯露出驚訝的樣子。

「沒想到會在這裏遇見大人，眞令人不敢相信。」長今甚至有些逗趣的問，

「您眞的是鄭雲白鄭大人沒錯吧？」

「不用大聲嚷嚷，吵死了！」

「您不是說要去智異山嗎，怎麼會到這裏來呢？」

「因爲山上沒有酒啊，口渴了，只好下山。」

「您是正要回漢陽去，湊巧路過這裏的嗎？」

「不是，事實上是聽說這附近有瘟疫流行的消息，特別趕過來的。儘管也聽說朝廷方面有派遣隊南下，但他們除了點火燒村以外，還會做什麼？」

長今以充滿敬意的雙眼看著雲白，原本住在那裏的人連逃都來不及了，對於反而特意前來此地的雲白，當然會不由得心生敬佩，甚至覺得一顆心熊熊燃燒起來。

「妳那是什麼眼神？快別用那種眼光看我了，別害得我大熱天裏還渾身起雞皮疙瘩。」

就這樣，長今意外的與雲白同行，一起到瘟疫猖獗的村子裏去。濕熱的空氣雖讓人胸口沉悶，但能與雲白同行，也就多少忘記了辛勞。

大雨過後的山野，像清洗過一般的澄澈，在陰濕天氣中總是帶著潮氣的樹林終於能夠擺脫迷濛，再現清翠。好久未曾見到陽光的花朵也散放出濃郁的香氣，薰人欲醉。草鞋草層層綻放的黃色花朵，隨著行人的足跡，處處散布。

「因爲太常見了，所以才叫做草鞋草，又名龍牙草或仙鶴草，您難道不覺得這些名稱不太適合，有點過分嗎？」

長今想起之前看的醫書曾感到好奇的一點，便隨口提出來問。

「那是因爲新芽長出來時的樣子像龍牙一般，故稱爲龍牙草；又因爲傳說吃了白鶴銜來的草後，就可止住鼻血，所以又稱爲仙鶴草，一般都相信白鶴是神仙派來的啊！」

「那您想想，龍只是想像中的動物，誰又眞的見過牠的牙齒。還有，平常就很難見到白鶴，更何況是神仙派來的；眞是太誇張了。」

「妳既然覺得那麼不滿，不如自己起個名字來看看。」

「草鞋草最恰當了。」

「爲什麼叫做草鞋草，妳知道嗎？」

「那是因爲當成野菜燙來吃的時候，就像在嚼草鞋一樣，一點味道也沒有，所以才叫做草鞋草。」長今又接下去說，「但像這種平凡至極的草，就算沒什麼味道，至少還可以塡飽百姓的肚子啊，同時又具有卓越的止血功能，難道不令人心生感激嗎？」

「是啊，藥材的價値應不在於其價格是否昂貴，而在於其具有多麼卓越的功效，那才是最重要的。」雲白趁機說：「但不懂得這個道理的小人之輩，光以數量的稀少與否，來計較價格的高低。像春天裏最常見的薺菜，不僅可強胃健肝，還可以明目，對不對？滿山遍野的山竹不也可以淸血降熱，還可以治療消渴、慢性肝炎嗎？所以說哪是藥材本身的問題啊！現在根本是個少數權貴當道，多數百姓受苦的世道，不是嗎？」

「不過，也就因爲常見，價格才變得如此低，這樣貧窮的老百姓才更容易受惠，不是嗎？」

「呵呵，說得也是。沒錯，我的想法太膚淺了，妳說得才對。」

受到弟子的指正，雲白卻不知道爲何還那麼高興，發出豪邁的笑聲。長今猛然想起，往前一瞧，才發現一個人影也沒。兩人只顧著講話，連落後隊伍一大段距離都還不知道。然而她的腳步也並未加快，就像出來散步一般，只想好好珍惜這種與雲白一同走在夏日山野間的悠閒心情，因爲不久後，就得與不知何時才能結束的瘟疫對抗了。

「妳知道這是什麼嗎？」

雲白用下巴指著腳下的草問，那是一叢好幾棵，綿延成一大片覆蓋住整個路面的植物。

「小時候常看見，但不知道名稱。」

「名爲知風草，既可當作家畜的飼料，草葉又可代替繩索使用。」

「所謂繩索是指草繩吧？」

「對，用手掌搓揉成兩股草後，交叉互纏就成爲繩索啦。」

「噢。」

「知道為什麼知風草都長在路中間嗎？」

「我也正對此點感到好奇呢。」

「因為人越踩會長得越茂盛的關係。」

「被踩之後不枯死，反而越長越茂盛，真稀奇。」

「多麼堅韌是不是？雖說春蘭嬌貴，但比起開沒多久就枯萎凋零的春蘭，生命力強韌的知風草看起來更加美麗。不但活著的時候堅忍強韌，死了以後，還可以代替草繩使用，生命歷程可以說是很長的，不是嗎？」

「不過，我怎麼看都不覺得美麗啊！」

「想要成為卓越的醫女，就得像知風草一樣。」雲白突然做了比喻。

「這話是什麼意思呢？」

「就是叫妳越被別人踩，越要堅忍啊！想把妳壓下去的人腳步越重，妳就必須像知風草一樣變得越堅韌，越強壯。」

雲白好像直到現在才發現兩人落後隊伍的事，連忙邁開大步追趕。長今都還來不及回答呢，與他之間的距離就拉開了，只得連忙跟了上去，一邊踩著知風草縮短與雲白的距離。

畜欄前坐著個哭泣的老農夫，哭聲讓人聽了心酸不已，但飽受熱浪與腳痛折磨，煩躁不堪的一行人，卻連瞧都不瞧他一眼，只有雲白忍不住停了下來，走向老農。

「您爲什麼哭得這麼傷心呢？難道是家人當中有患者嗎？」

老農點了點頭，哭得更大聲了。

「怎麼會如此呢？是因爲最近流行的瘟疫所造成的嗎？」

「我不知道原因，她只說肚子痛，一直吐，然後就……」

「沒有其他的症狀嗎？」

「她說小便有血，而且高燒不退。」

和瘟疫的症狀類似。老農的樣子看起來很好，不過也不敢保證沒事。

「家屬中沒有其他的病患嗎？」

「哪有什麼其他人啊？我們原本就沒有子女，只有老夫妻兩人相依爲命。現在連老妻都走了，小人以後要怎麼辦才好？」

「事情越來越棘手了，在瘟疫擴散、造成更大的傷害之前，一定要想辦法控制住才行。請問在病發前，有沒有吃了什麼與平常不一樣的東西呢？」

「吃飯都成問題了，哪裏還會去吃什麼特別的東西？」

「是我失言了。」

「對了！因爲汗流浹背，全身無力，好像中了暑一樣，所以曾買過牛肉給她吃。」

「以農家生活來說，應該沒有寬裕去買牛肉才對……」

「聽說對面村莊有價格便宜的牛肉，我只不過是想要幫唯一的家人補補身體……那大概可以算是老婆在到另外一個世界去之前，吃到最後也最珍貴的食物吧。」

老農想起了老妻，心中一陣哀痛，原本暫停的悲泣又再度潰決。

「吃了牛肉，引起腹痛、高燒與腹瀉、嘔吐……血便……」

雲白一個人喃喃自語，走進畜欄裏仔細觀察。相對於他愼重的表情，專注反芻的牛隻們，看起來就閒散多了。

儘管如此，他們卻無法爲這可憐的農夫做些什麼，更何況現在最緊急的事情就是要趕在瘟疫擴散之前，找到控制的方法。所以雲白和長今從畜欄裏出來後，也只能嘆口氣，與老農道別，滿心沉重的離開那裏。

與先發派遣隊會合之後，雲白先觀察了病患的症狀，再找到病患家屬詢問各式各樣的問題：吃過什麼、摸過什麼、穿過什麼等，連一些瑣瑣碎碎的事情也都一一記載在手冊裏。

在這之間，長今抱著豁出去的決心，忙著照顧病患，連流汗都沒時間擦。天色漸漸變暗才回到醫帳的雲白，一見到長今就搖了搖頭。

「看起來像是新的疫病。」

「嘔吐和腹瀉不是瘟疫的典型症狀嗎？」

「話是沒錯……初期有很多病患感染，但後來卻沒有繼續擴散，這點很奇怪。絕對不可能是惠民署的醫官來了以後控制了病勢。爲了愛惜自己的生命，醫官們無心看診原也無可厚非，不過，醫官或醫女當中沒有一個人被感染到，實在是十分的不可思議。另外患者皮膚上的黑色斑點亦令人感到相當不解……也有可能根本不是瘟疫。」

「如果不是瘟疫的話，怎麼會一下子有那麼多人同時發病呢？」

「是一下子的集體患病吧。會形成這種情形的有哪些情況呢？」

「我想想，像食物中毒。同樣的食物很多人分食的話，就可能造成那種情況。」

聽了這句話，雲白像想起什麼似的，馬上往醫帳外急奔而出。長今也連忙跟了出去，只見雲白抓住一個像是病患家屬的青年，一股腦兒的問他一堆問題。

「剛才你不是跟我說，瘟疫開始之前，村子裏舉行了什麼宴會嗎？」

「說是集會，有點不恰當，其實只是爲了要幫助狗糞家度過困難。」

「從頭到尾，詳細說清楚。」

「狗糞家養的牛死了，賣也賣不出去，情況可說糟得不能再糟。在農家，一頭牛就等於是全部的財產，牛死了，狗糞家的生計也變得困難。所以家家戶戶就捐了錢，共同買下牛肉，分著吃了。」

「你也吃了嗎？」

「小人根本不吃肉的啊！」

「那其他大部分的人都吃了嗎？」

「沒錯啊。對種田的人來說，平常哪敢吃什麼牛肉啊？如果不是這種機會，一輩子大概都難得吃到一次牛肉吧。」

「別村裏的人，也分吃了那些肉嗎？」

「那我就不知道了，但十之八九應該是有吧？像我母親就是從鄰村嫁過來的，現在想起來，好像聽說有人送了條牛腿到舅舅家去，說是要給外祖母補補身體。」

雲白邊聽邊點頭，似乎捕抓到什麼線索。

「看來像是人畜共通的傳染病。」

離開了那位青年，雲白回到醫帳中時，吐出了第一句話。

「那是什麼？」

「大概是人與牲畜共通的疾病吧，儘管對牲畜來說，不至於致命，卻可能威脅到人類的性命。」

「過去也曾有過類似的例子嗎？」

「印象中沒有。」

「那麼，您如何斷定這次是呢？」

「今天在來的路上，我們不是遇到一位農夫嗎？他說給老妻吃了牛肉以後，就開始腹痛，然而，只有吃了肉的人發病，牛和農夫卻都好好的沒事。還有，剛才不是說村裏的人也是分食了牛肉才開始生病的嗎？說不定問題就出在牛肉裏面。同一家人，只有不吃肉的青年一點事也沒有，這就是證據。」

「大人的話很有道理，那現在該如何是好？」

「告知派遣隊，下令禁止食肉。」

雲白開始召集醫官，長今則到醫帳外繞了一圈。然而不管到哪裏，都沒看到政浩的身影，只好跟先來的醫女詢問。

「我想想看，好像從昨天開始就完全沒有看到他的樣子。」

「出去的時候，沒有交代說要去哪裏嗎？」

「說要去鄰村看看那邊的狀況，但到現在都還沒有回來。」

去了整整一日都沒有回來，真是奇怪。現在是夏天天色暗得晚，不然早就到了吃晚飯的時間了。人是前一天太陽正大的時候出去的，過了一夜，又到了日落時分還不見回來，怎不令人憂心？不管怎樣，得到政浩去的村子裏看看才行。

在鄰村入口碰到的男子告知長今醫員的家，但醫員只是語焉不詳的叫她去邑城藥材店找找看。看他的眼神似乎隱瞞了什麼，但追問下去，大概也得不到什麼爽快的回答吧。

於是長今走出村子，開始往邑城的方向走去。

自己什麼話都沒交代就跑了出來，心裏覺得有點不安，開始後悔至少也該跟雲白說一聲才出來才對。可是如果折回去說一聲再出來的話，時間又會太晚；就算現在加緊腳步，快一點回來的話，大概也已經是半夜了。

長今不停地加快腳步，太陽西下，彷如一個又圓又大的紅眼珠子照著四周，把周圍都染成一片血紅。連來路上踩過的那一片淡綠色的知風草，這會兒也變成了鮮紅色，就像踩在大紅綢緞上一般。

經過廢墟時，還看得到太陽，但也一下子就落下地平線，四周霎時變得有點陰森森的。不知道是不是之前忙著跟雲白說話，來的時候並沒有注意到這個村子，完全不見人影，只有遠處不斷傳來貓叫聲。

全村人都已疏散走了的樣子，在空無一人的村子裏，貓的叫聲讓人直發顫，就像嬰兒哭聲一般。才這樣想著的時候，村子後面突然跳出一隻貓來，讓長今嚇得大叫，跌坐在地上。貓兒用兇猛和陰沉的眼神將長今從頭到腳打量了一次，才又慢慢的消失在路的對面。

嚇壞了的長今也無法馬上站起身來，甚至還感到輕微的暈眩，只好坐著休息一下，等頭暈暫止，卻感到廢墟後面好像有什麼在動。

那是一隻人手，嚇得長今「啊」一聲大叫。仔細一看，才發現好像要抓住什麼似的，不停的在地上刮搔。分明不是鬼魂，而是活人的手。

戰戰兢兢跑過去，這才看清楚有一個男子仆倒在那裏。

「喂！喂！」她顫抖著聲音叫喚。

仆倒在地的男子費力的抬起頭來看著長今。

「救救我！」

「這個村子的人不是都離開了嗎？你這個病患怎麼會仆倒在路上呢？」

「他們把還有一口氣的人，全部丟在那個屋子裏後就走了。」

「什麼！你的意思是說你是從那裏爬到這裏來的嗎？」

「是的……」

「那麼那裏頭也還有一些活著的人在囉?」

男子幾乎是鼻子貼地般的點點頭。

移動病患的事情雖然緊急，但長今還是決定先確認一下屋裏的情況再說。她穿越廳堂，走進連門都沒有的房間裏，眼前的景象讓長今差點停止呼吸，連呻吟聲都發不出來了。

房裏堆積了超過二十名以上的人，死人、活人，全都分不清楚地亂堆在一起。應該要埋葬死人，治療活人才對，是誰這樣全部丟下就走掉了呢?長今震驚到幾乎快喘不過氣來。

這一定是活著的人做的好事，現在才終於知道，可怕的不是死人，活人才是最令人害怕的。

光想著要將那堆人一一搬開，區分活人死人，腿就快軟了。尋找政浩的事情雖然重要，但現在馬上趕回醫帳，找派遣隊的人來似乎更加緊急。

才下了這個決定，打算快去快回之際，地上不知道是什麼東西閃了一下光彩，吸引了長今的視線。在半人高的雜草中，映射著夕陽餘暉、閃爍著強光之物，乍看之下，似乎是銀簪。

等撿起一看，竟然是之前給了政浩的流蘇垂飾。長今立即像失了魂似的奔回屋內，仔細找尋，才終於在一個角落看到政浩以死人的腳當枕，全身血污的躺在地上。

雖然微弱，但還是摸到了脈搏，不像是染上了瘟疫的樣子，從肩膀、腰部和下腹的傷口來看，分明是受了刀傷，皮膚上也不見黑色斑點，眼前得先止血要緊。

長今又跑了出來，像個發了瘋的人一樣狂拔龍牙草，雖也想用第一次救政浩時的黃瓜草，但因事前完全沒想到會碰到這種事，所以在來的路上也沒多注意四周的藥草。拔滿一裙襬分量後，便趕緊跑進廚房，找著了砧板。拚命用力搗爛龍牙草的時候，幾乎每三次就有一次搗到自己的手指。起先也不曉得痛，直到看見鮮血染上龍牙草才知道手指頭裂開了。把流了血的手指放進嘴裏隨便吸一吸，長今又繼續搗藥，好不容易搗好了，就趕緊拿著跑到政浩身邊。

才剛做完緊急處理，緩過一口氣，就聽到呻吟聲傳來，那是還活著的病患發出的求救信號。這才又想起最先仆倒在路面上的那名男子。趕緊跑出去把他扶進來，這樣子又花掉了不少時間和力氣。

反正也不能丟下政浩就離開，得盯著看看情況才能決定下一步的處置方法，腦中浮起政浩說過，不論何時都會守候在自己身邊的話語，她何嘗不是一刻都不想讓他獨自留在這裏啊！

正逢夏天，到處瀰漫著屍臭味，就算現在還活著的人，聞到那種味道也會窒息而死，只能想盡辦法把還活著的人移到另一個房間去，最後才搬動政浩，但自己的力氣實在太小了，根本抬不起他來，只好拖著一點一點的移動。

身體卡到門檻，只不過稍稍用點力，就讓政浩的頭重重地撞到地板。撞的聲音那麼大，讓長今也跟著嚇了一大跳。長今忘了政浩已經昏迷，什麼都聽不到，也根本感覺不到痛，只抱著他的頭一個勁兒地搓揉著。但長今就像自己的頭被撞到一樣，連心都好痛。

「大人，請原諒我，是我不注意才讓您撞到頭的……」

長今像個失心瘋的人一般，一面揉著政浩的後腦，一面喃喃自語著，突然嗚咽聲掙脫而出。這壓抑不住的哭聲，讓長今首次感受到一股恐懼，自己說不定會失去政浩！

看到他全身是血躺在地上的時候，搗爛龍牙草塗敷在傷口上的時候，壓住穴道、防止繼續出血的時候，她根本沒有想到死亡兩字，滿心想的都是趕快止血的急迫性，根本沒有想到這種致命傷說不定會奪走政浩的生命。

長今忍不住放聲大哭，耳邊卻彷彿聽到一個安撫的聲音。

「長今啊，別哭。」

那是韓尙宮的聲音，長今精神爲之一振，又開始湧出力氣來，告訴自己沒有時間流眼淚啊！

把政浩安置好之後，長今又到各家去繞繞，尤其仔細翻找廚房與倉庫。什麼都拿起來看看，發現有蓖麻油、黑豆和甘草時，眼睛立時爲之一亮，馬上以兩手掌黑豆和一手掌甘草的比例，加水煎煮。

因爲煎煮需要好一陣子，長今便趁這段空檔趕緊看看那些還有可能救活的人，加以治療。把還有一點力氣的人靠到牆上後，即餵食蓖麻油。如果眞的像雲白說的那樣，這病是因爲飲食所引起的話，那讓他們嘔吐出來就是最要緊之務了。

吃了蓖麻油的病患，開始出現上吐下瀉的現象後，照料起來也不是那麼容易了。把櫃子裏所有可稱得上是布料的物品全部拿出來當成抹布，而且只要擦拭過一次嘔吐物，就得全數丟在一起，再一起燒掉。

忙裏忙外的時候，黑豆煮甘草的藥茶也煎得差不多了，把這茶舀起分給病患服用後，再去看看政浩，他仍然像死了一般，動也不動地躺在那裏。雲白說人與人之間好像不會相互傳染這病的樣子，但長今想想那說法還未確定，也就仍餵政浩喝了黑豆甘草茶。

天色漸漸發白，雖然堅決地想要驅逐瞌睡蟲，但眼皮還是忍不住垂下來。一整晚沒睡，之前竟然有體力做那麼多事，眞是奇怪！說不定是因爲抱著焦灼的心情走了那麼遠的路後，又緊接著一鼓作氣的關係吧！長今心想著不能睡，絕對不能睡，但身體卻不自覺的往政浩腳邊倒了過去。

第五章　再闡明

長今一睜開眼睛，就慌慌張張地先摸索政浩，發現他還是一樣陷於昏迷狀態。從外頭一片漆黑看來，自己好像是整整睡了一天的樣子，或許現在不是夜晚，而是另一天的凌晨時分也說不定。

早知如此，就該回去醫帳把雲白叫來才對，長今開始有點後悔，覺得自己做錯了。若有這麼長的時間，那讓雲白過來把病患帶回去治療都有餘了。

如今想要那樣做，身體卻變得不聽使喚。長今一驚，趕緊摸摸額頭，自己正發著高燒呢！除了肚子空空的，最嚴重的是下腹如撕裂般的疼痛。

「不會吧？」

這樣自問了一句後，長今又用力地搖搖頭，雲白明明說這病不會在人與人之間傳染啊！過來這裏以後也是一樣，凡是取材於牛所做出來的食物，不知道有多久沒吃過了。然而力氣分明漸漸消失，自己也確實感受到這一點，心中不禁升起疑慮，這一次說不定連醫術高超的雲白也弄錯了。或許無需直接食用，病原菌也會透過別的管道入侵體內，像是滲入呼吸器官或裂開的傷口深入體內也未可知。

猛然想起了在搗爛龍牙草時，不小心弄傷的手指。難道是驚慌之中隨意處理的傷口，現在反而成為禍根?眞是怎麼想也想不通。

眼前變得一片昏暗，長今費力張開快要闔上的眼皮，往下俯視政浩。這是她首度看到沒帶官帽的政浩，原來他的額頭那麼寬廣，那麼的光滑。總是帶著微笑的臉孔，如今緊閉眼唇，看起來彷若他人。

長今顫抖地伸出手去，順著政浩的額頭、眼睛、臉頰、下巴，一路輕撫下來。

「那封信上寫著，既聰明又多才多藝，不管做什麼，都能對百姓有貢獻的女人。」

當時她掉了麵粉，本想放棄御饌比賽，但政浩卻爲了想要打道回府的自己，說了這番話。仔細一想，好像每當未來感到茫然，一步都跨不出去，處於黑暗的時刻，總有政浩在旁。打翻山泉水扭傷腳踝，無計可施的坐在地上時，他也湊巧出現。失去了韓尚宮，流配到濟州島的路上，幸好有他給的三色流蘇垂飾，才讓自己可以撐持著活下去。每當處於最艱辛的時期，政浩總像一盞光、像救援一般，快速的來到身邊，自己也因而得到活下去的勇氣。

如果失去這個人，自己也活不下去了，也不想活了。父親、母親、丁尙宮和韓尙宮所在的那個地方，似乎是個安樂的所在。不然他們爲什麼全都一去不返呢？如果政浩也去了的話，自己一定跟隨到底。既然深愛的人都在那裏了，那麼只要自己跟著過去，一切便都結束了。

回首過往，除了母親、韓尙宮和雲白之外，自己還有一位感情上的老師。

如果不是政浩，自己永遠也無法體會女人的幽微心情。光想到他就覺得心跳加速；沒什麼大不了的事情，也會突感焦慮；見不到面時會全身無力；但只要能夠見上一面，就什麼都不怕了。這樣的心情，世上只有政浩一人可以教她。自己這一輩子，眞可說一直都擁有良師爲伴的福分。

「大人，我曾經無法割捨，無法不顧母親與韓尙宮嬷嬷的遺志。但現在全都可以不要了。雖然無法繼承她們的遺志就得死去，令我痛惜，但死亡卻可以成全我一項願望，那就是對大人的心意，這是除死之外，無法完成的夢想。」

眼淚不停滴落，濺濕了政浩的臉龐，長今用心擦乾自己滴落在政浩臉上的淚水，便勇敢的將唇貼了上去。而依然流淌不停的淚水，很快又沾濕了政浩的額頭。

「還有一件事我沒有告訴您。大人您給我的這個流蘇垂飾，其實是我父親的遺物。我深怕萬一大人知道的話，會因爲想要報答救命之恩，而割捨不掉不完美的我，永遠都無法離去。所以才會自始至終都沒有告訴您。現在，您不用再為我擔心了，我馬上就跟隨您一起去，馬上就跟隨著您一起去了。」

長今在政浩的身旁躺了下來，一手抓著三色流蘇垂飾，另一手緊握著政浩的手。直到這樣躺下來，長今才感受到這是打從自己離開白丁村以後，首度能夠毫不憂慮、毫無負擔的躺下來。過去的生活太孤單了，辛苦的事情也太多了，總是才解決了一件，後面馬上又碰上更大的問題，連一點喘息的時間都沒有，現在終於可以好好休息了。

如果還有下一世，自己絕對要以平凡姿態降生，然後在這個人的保護下過一輩子。就像俗話說的，平凡就是福。沒有才能，就不會碰到一波波的困難。不必去麻煩任何人，也不會有人來害自己，只要守著這一個人，好好過日子就可以了。

昏迷之前，最後浮上腦海的是母親慈藹的面孔，結果到最後還是沒能遵守約定，現在這個時節，又該是野草莓正紅紅圍繞著枝幹成熟的時刻了吧。

「千刀萬剮也死不足惜的傢伙！」

雲白對著堅持要離開的隊伍，在後面大聲的辱罵。跟他們解說瘟疫起因的時候，人人只顧著打鼾，現在又以反正不會再擴散為理由，收拾行李逕自離開。

這期間爲了找長今，他一個人東奔西跑，最後才從見過長今的醫女口中得知，長今問過一位名叫閔政浩的儒醫的事。

爲了要找到他們，連鄰村都去過了，還有邑城的藥材店。聽到藥材商已被抓去送官的消息後，雲白才驚覺到他們會不會是碰上了什麼危險？

到處奔走尋找之際，派遣隊的那些醫官，一個都沒來幫忙。

「兩個人大概發生了姦情，逃跑了吧。」

那些人再說也只會嘲諷而已。結果說那句話的人，鼻梁當場就被打歪了。

看他們的樣子，還不如自己一個人去找比較快。領隊和守令都沒有要協助的意思，雲白也只能一個人像隻無頭蒼蠅般，來來回回不知往返於邑城與村莊之間幾次。結果那群傢伙竟然就這樣全部走光了，現在連個可以請求協助的對象都沒有。

就算已經確定發病的原因出在牛身上，也不能就這樣走掉啊！根據之前的尋訪，較偏遠地區的村莊也出現瘟疫病患了。當然他們也都吃了牛肉，不過不是這個村莊裏的牛。聽說是有點小錢的士族兒子娶媳婦時，宰了一頭牛，婚宴結束後，就把剩下來的食物代替工資分給了工人。

牧地水草優良，牛肉的品質當然就鮮美，聽說也有許多牛肉送到了漢陽去，如果不好好管制的話，恐怕連漢陽都會有危險。

牛肉是只有士族人家才吃得起的食物，趁這機會讓那些作威作福、趾高氣昂的漢陽士族們死得一個不剩，似乎也不是件壞事。不過，說不定連宮廷裏也有從這個地方上納的牛肉，自己身為一名醫員，自然無法袖手旁觀。但現在更緊急的事，還是找到長今。那孩子什麼話都沒說就跑出去，大概是以為馬上就可以回來吧。如果有什麼事會拖延如此久的話，一定會先來跟自己說一聲才對。會不會是去鄰村找那個閔政浩的儒醫時，發生了什麼意外?!

雲白來回踱步，慢慢沉思該如何做才好，但不管怎麼想，都想不出什麼好法子。周圍的村莊該找的都去找過了，擴大行動範圍，也無法預測找一個人得花多少天的時間。

需要多找幾個人幫忙才行，就在雲白埋頭苦思該如何動員人手時，發現有個男子過來偷偷的打量他。

「你找誰啊?」已經滿心煩躁的雲白沒什麼好氣的說。

「人家說來這裏就可以找到朝廷派來的派遣隊，可是怎麼一片空盪盪的啊！您知道這是怎麼回事嗎?」

「你是誰?」雲白反問道。

「我住在對面村子裏，因為瘟疫的關係，跟著全村疏散離開，現在聽到瘟疫已經控制住的消息，剛剛才回來。」

「派遣隊也是剛剛才離開。」雲白提不起什麼勁的說。

「我晚了一步啊。」

「找派遣隊要做什麼？」

「有急事要稟告鄭雲白鄭大人。」

「我就是，你有什麼事情要告訴我？難道是一個年輕女子叫你來的嗎？」心裏想著會不會是長今，不由更加焦灼不已，偏偏這男子說話的速度慢得教人幾乎要發狂。

「不是女子。」

「拜託你說話快點。」

「是位士族大人啊！他也想自己來，可是身體無法動，就交代我來找鄭雲白鄭大人，並帶您過去那裏。」

「那裏是哪裏？」

一面走一面問，雲白直覺找他的那個人可能是閔政浩吧？若眞是閔政浩的話，那長今又是在什麼地方做些什麼事呢？

這個村子自己曾經到過入口，但當時因爲半個人影都沒有，所以只大略看了一下就過去了。跟著年輕人妻子走進屋前寬廣的庭院，只見一個男子坐在走廊邊，一看到他就急忙起身，好像身體不太好的樣子。

「您是鄭雲白大人嗎？」

「是的……」

「我叫閔政浩。請您快進來看看。」

「到底是什麼事？」

「裏面有個名叫做長今的女子……」

雲白只聽到這裏，馬上就像閃電般衝了進去。一開始以爲長今已經死了，眼前變得一片黑暗，後來才感覺到長今的脈搏還在跳動。

「怎麼會搞成這副模樣啊？」

雲白還沒搞清楚事情經過，就先發起火來，應該是看到弟子變成這樣，才會急得失去理性。

「我因爲遭不明惡徒用刀刺傷，昏迷不醒，等醒來時一看，就是這個狀態了。她怎麼樣了？」

「身爲儒醫的人，這種事還需要問嗎？」

「我能做的只有一些緊急措施，都怪我學識不足，經驗也缺乏……」

雲白馬上展開治療，幸好身上還帶有從智異山下來時，經過沼澤地途中，偶然發現的黃土三白草，這是在濕氣重的乾淨土地上罕見生長的多年生植物，煎煮葉片後服用，不僅可催吐出腹內之物，還可一併排除腹中殘存的毒氣。

「怎麼樣？會活過來嗎？」

閔政浩一刻也不肯離開地在長今身邊守候著，不停的提出相同的詢問。而雲白卻連一次都不想回答。

「會活過來嗎？」

正想出去到廚房找找有沒有可以抑制脫水的東西，閔政浩又跟過來，問了同樣的問題。

「我也不知道啊。」

「真令人鬱悶，一句話也好，請您告訴我。」政浩死纏著不放。

「連我都不知道會死還會活，你到底想叫我說什麼？」

「您是經驗豐富的醫官，至少可以猜測一下，不是嗎？」

「連猜都沒辦法猜，我要出去，請你讓一讓。」

雲白一把推開政浩，往外走去，耀眼的陽光刺痛了眼睛，穿上鞋子後偷偷回頭一看，發現閔政浩一副失魂落魄的樣子，滿臉茫然的站在那裏。雲白突然覺得於心不忍，氣一消，便丟給他一句話。

「有時間在那邊晃來晃去的話，就去給我找地漿水來。」

「我去找！不過，地漿水是什麼呢？」

「就是黃泥水啦。」

「您是說要讓長今喝黃泥水嗎？」

「不是隨隨便便的黃泥巴水，從黃土裏舀水起來搖晃一陣後，上面就會浮出乾淨的水，將此保留起來就可以了。不過我可不知道這附近有沒有黃土噢。」

地漿水具有強烈的解毒作用，可以消解腹內的中毒現象。像吃了有毒蕈類中毒時，除了地漿水外，就沒有其他藥材可以解毒了。

「不管用什麼法子，我都會去找來的。」

閔政浩馬上帶著感激的神色往外跑，找到了可以做的事情，整個人終於又有了重心。

庭院角落裏有個盛裝雨水的大甕，雲白跑去那兒洗了洗手，一個人嘻嘻笑了起來，政浩看起來是個可用之才，又有強烈的正義感。以一個士族出身的人來說，人品頗佳，以同樣身爲男子來看，外表長得也頗爲端正。更何況以其士族的身分，還會愛惜一個卑賤的藥房妓生，這種事委實少之又少。

「眞笨！」

心裏才想著終於碰上了個可用之才，嘴裏吐出來的卻是這樣的字眼。

「卑賤的人幹嘛要招惹上士族出身的人啊！」

漸漸心裏又開始煩悶起來，連帶覺得閔政浩這個人也不適合長今了。

爲了找黃土，到處奔走的政浩看到梨樹果園裏有自己想要的東西，立刻拔腿飛奔過去。雖然果園主人看到他不由分說就挖起土來，便威脅著說要去告官，但政浩也沒有時間去計較那麼多了。只要能救活長今，不要說是會被告進官衙，就算要他用兩條腿親自走到地獄去找，他也願意。

「大人您給我的這個流蘇垂飾，其實是我父親的遺物。」

似夢非夢的狀態中曾聽到長今的聲音，本來以爲是夢，但撫摸自己的手，感覺卻那麼的眞實與熟悉。當初被倭寇的刀刺傷倒地時，所感覺到的就是這隻手，原來當時救自己的不是別人，就是長今！驚覺到這一點後，拚了命想要掙扎醒過來跟她說話，但身體卻像個石頭般緊貼在地上，動彈不得。

只要能夠救活她，自己什麼事都願意去做，她可是救了自己兩次命的女人啊！更何況這次是因爲救自己太過勞累才會重病至此。政浩甚至覺得自己只有一條命可以回報長今，實在是太少、太教人浩嘆了。

雲白接過黃土，加了水攪一攪，卻一如往昔一句好或壞的話也不說。其實只要雲白一句話，政浩心裏就會踏實些，他到底是眞的不知道，還是知道卻不說呢？眞教人無從捉摸他的內心。

雲白舀了地漿水餵長今喝下以後，便走到外面去。政浩焦急不已，心裏頭立即生起一把火，打定主意這次無論如何，非得讓雲白開口不可，就跟在他的身後走出來。

代替圍牆種植在庭院四周的竹葉，窸窣地在風中搖擺著，不禁回想起月出山白雪覆蓋的銀嶺山下，颯颯搖曳的那片竹林。那時的心情雖有說不出的急迫，但和現在這一瞬間比起來，還算是幸福的時刻啊！當時長今至少還活著，那一點是無庸置疑的。

雲白背著手佇立，以漠然的眼神看著細長的竹編屋頂。

「看來已經度過最危險的生死交關了。」

想不到還沒開口問，雲白自己就先說話了。這是自己等了又等，最想聽的一句話。千言萬語都不需要，一顆心焦慮得快死掉一般，所期待的就是這麼一句。

「果然是瘟疫沒錯嗎？」

「症狀非常類似，但無法完全確定。我認爲這一次讓許多人死亡的並非瘟疫，而是吃了病牛的肉所造成的……」

「您是說病牛的肉竟然會讓那麼多的百姓因此死亡嗎？」

「我想是這個地方的牛，不知道爲何中了毒，雖然不知道確切的中毒原因，但十之八九是吃了有問題的飼料。而且吃了那種飼料的牛本身似乎不會有什麼問題，但人若吃了那頭牛以後，卻會有很大的痲煩。」

「就算是那樣，死的人也未免太多了，不是嗎？」

「百姓不是很少有機會吃到牛肉嗎？所以，即便只有一點點，也會有很多人分食。另外牛骨，甚至牛尾都會熬煮後吃上好多天。何況現在是夏天，爲了趕在腐壞之前吃掉，更會呼朋引伴，一家老小親戚全都叫來共嘗。」

事實上，此病乃起因於今日所稱的炭疽菌，會用「炭」這個字，源於此菌會讓皮膚產生黑色潰瘍之故。

症狀也會因炭疽菌侵入的途徑差異而有所不同，最嚴重的是經由呼吸器官侵入的肺炭疽，開始的症狀與感冒相似，等到呼吸困難時，通常已危及性命。

吃了遭受污染的食物，造成腸炭疽的現象，一開始會引發急性腸炎、噁心、食欲不振、嘔吐及發熱等症狀，接著便會出現腹痛、嚴重腹瀉和吐血等進一步惡化的症狀。此外，也有經由皮膚接觸傳染的皮膚炭疽，但以當時的醫術而言，根本不可能會知道炭疽的原因與治療方法，因此若非優秀如雲白的醫者，絕對不可能察知發病的原因與牛有關。

「聽您這樣說，似乎很有道理。但是如果這地方的水和草有問題的話，那麼其他的牛也無法讓人放心了，不是嗎？」

「我也在擔心這件事，我曾經要求趕緊發布牛肉禁食令，並且要阻止輸納到漢陽的進貢品，然而此地的守令卻嗤之以鼻。」

「那眞是事態嚴重，得趕快向王宮通報此事才行……」

政浩沒有把話說完的原因，是因爲無法丟下長今先行離去。就算明知這裏有雲白，自己在不在結果都不會不同，可是沒有親眼看到長今醒來，自己就是無法安心的離開這個地方。

自己曾經說過，身爲男兒，保衛國家雖然重要，但守護心愛的女人也同樣的重要。雖說如果沒有了生命，就沒有一切，但這個比自己生命更珍貴的女人，如今還徘徊在死亡邊緣……

其實該盡快稟告的還不只是那件事，崔判述的逆行也該盡早舉發，然而就連那件事，也得等長今活過來以後再說。政浩想要先救活長今，再藉這次機會一舉洗刷韓尚宮的冤屈。

「您知道崔判述這個人嗎？」

「當然知道，幹嘛突然問起這個人的名字？」雲白反問。

「有一些人將回生散謊稱爲瘟疫特效藥在市面販售。我在調查的時候，發現崔判述商團與此事有相當深的關聯。事實上，就是在調查這件事的途中，被不明刺客所傷，才會變成今天這個樣子。現在只想趕緊進宮，直接向王上稟告此人禍國殃民的罪狀。」

「我也有崔判述商團操縱典醫監藥材採購的線索。」

「那太好了，千萬拜託，請您一定要協助我逮住那個人下獄，讓他無法重見天日。」

「我盡力而爲。」

氣味相投的兩名男子交換著惺惺相惜的眼神，但馬上又覺得有點不好意思，兩人幾乎同時轉開頭去。不知道是不是因爲氣氛有點尷尬，雲白老是以假咳掩飾，最後更近乎喃喃自語起來：

「瘟疫不可能會有特效藥的，何況是那些背棄純眞的老百姓，只顧賺飽自己荷包的人……就算長今活過來，我也很擔心她在這些人橫行的地方，能否安然無事。一般人都會說，若處在腐爛的水裏，便會跟著一起腐爛，但她卻是個出淤泥而不染的孩子，從來就不懂得隨波逐流的道理。既然生爲女人，便該以女人的身分生存才合乎自然的道理……這樣來看，她實在是個不幸的孩子。」

聽著雲白說話，政浩突然想起了一件事：鄭雲白，這個名字感覺很耳熟，他不就是自己初次見到長今，她帶來那封信的執筆者嗎？

上面說長今既聰明又多才多藝，不管做什麼都會對百姓有所貢獻，希望對方盡力予以協助，直到現在，那封書札字字句句都還鮮明的烙印在腦海裏。

「大人！」

沉浸在各自思緒裏的兩人不約而同的轉身向後看，只見長今虛弱的靠在門板上，往這個方向望。

這句「大人」喊的到底是哪個大人啊？當場有兩位大人在呀！

「大人！」

令人一頭霧的大人呼喊聲又從她嘴裏吐出，難道是兩位大人分別各喊一聲嗎？儘管立即感到心痛，然而，雲白卻不得不承認，長今雙眼看的是閔政浩。

政浩買來兩匹馬時，雲白已先行離開了。

「怎麼離開了？不是要一起上漢陽去的嗎？」

「大人說要繼續完成未竟之事，所以再度上智異山去了。」

聽到雲白連個招呼都沒打就離開，內心一陣愕然兼惘然，但也只能寄望後會有期。納悶的是，不管怎麼看，長今的臉色還是顯得十分蒼白，雲白怎能放心離去？

「他怎麼可以丟下病人一個人，自己就先走了呢？」政浩終於還是說出了心中的不滿。

「怎麼說是一個人呢？還有大人您在不是嗎？」

「就算只是暫時的一段時間，也不該放妳一個人在這裏啊！別忘了妳才差點丟了命呢。」

「是遠遠看到大人過來，他才放心離開的。」

長今雖然對像在照顧小孩般看待自己的政浩心存感激，但仍沒忘記維護雲白。

「以妳目前的身體狀況，不知道方不方便騎馬，實在令人擔心。」

「鄭雲白大人說，只要不要太勉強的話，就沒有關係。」

「那就這樣吧，不要勉強趕路，慢慢的走。」

爲了安全，政浩不顧長今說可以自己走，一把就橫抱起她來，走到馬所在之處。他身上還揹著長刀、弓箭，以及長槍等武器，行動當然會變得遲緩。可是因爲說不定某時某地，又會與崔判述的黨羽照面起衝突，還是得盡量準備齊全。

「我挑了最溫馴的馬匹，但爲了以防萬一，還是不要以太快的速度奔馳，我會緊緊跟在妳後面的。」

長今微彎下腰，小心地撫摸馬的側腹，像是先跟牠打個招呼，萬事拜託的意思。馬身閃著黑褐色光澤的毛，柔軟得令人無法置信。

即使沒有特意加快速度，但在馬上感覺迎面而來的風勁仍強，不過因爲體內仍留有殘熱，僅感到些許涼爽而已，倒是心裏飄飄然，就像快飛起來一般的輕鬆。

「竟然可以與政浩一同騎著馬回去。」

心情雀躍之極，幾乎連路旁馳騁而過的孤挺花，她都想道聲謝。

然而兩人沒騎多遠，就被軍官們攔住了。

「你們這是在做什麼？」

政浩看到長今被拖下馬綑綁住雙手，不覺大驚叱喝，可是接著連政浩都一起被軍官給綑綁住了。

「你們是不是看錯人了？我是內醫院的儒醫閔政浩啊！」

「我們接獲命令，務必追捕到與內醫女徐長今一同逃跑的閔政浩。」

「什麼逃跑？我們正要進宮去謁見王上啊！」

「在下只是聽命行事，您如果有話要說，請到義禁府去說。」

「這命令到底是誰下的？」

「據我所知是內醫院都提調吳兼護大人所下的命令。」

原來是這麼回事！分明是崔判述與崔尙宮唆使吳兼護做的好事，不過政浩也不由得好奇，他們怎麼知道自己先前失蹤的事？就算兩人眞的相約逃跑，身爲都提調的人也沒有必要爲了一名內醫女，派出這樣的追捕架式。不過最令人擔心的還是長今的健康狀況，尙未完全復原的身體，若戴上枷鎖的話，要走那麼遠的路，實在是太勉強了。

「知道了。我們會乖乖跟你走。不過請讓這個女人騎馬，她才剛剛熬過生死關頭，還是虛弱的病人。」

「罪犯不能騎馬。」

「她是控制住疫情的人啊！所有的責任我會負責，請相信我，讓她騎馬吧。」

「不行。」

「那麼我也無法這樣乖乖跟著你們走了，這幾條綑綁的繩索，我根本不看在眼裏。倒是如果你們讓犯人跑掉了，有可能平安無事嗎？」

政浩瞪大眼睛，挑釁的看著軍官。不知是否被他那股氣勢所懾服，軍官也無法再堅持下去，便讓長今坐回馬背。

兩人就這樣被押送到義禁府，當天晚上，政浩一夜未眠，並於次日清晨被帶到知事面前。說不定這樣還算是好事呢，因爲由正二品的知事直接審訊是十分罕見的事，就算他是奉吳兼護的命令行事，也好過要自己面對一個微官末職者，因爲那樣即使提出說明與請求，也會如同對牛彈琴，更加無效。

政浩說明了整件事情的始末，並要求立刻發布禁食令，但知事卻像連聽都沒聽到一樣。既然據實說明的方法沒用，政浩便改變方式，轉而使用威脅的語氣。

「如果不發布禁食令，萬一王上食用了不潔的牛肉，發生了什麼不測的話，您打算怎麼辦？」

「你現在是在威脅我嗎？」

「除了我和醫女之外，還有一名醫官也知道此事。如果他知道您至今都還沒有採取任何措施的話，他一定不會善罷甘休的。」

吳兼護會把自己和長今關在義禁府，一定是還沒想好該如何處置，自己打算先下手爲強。

知事張著一雙細長的眼睛，向下斜睥著政浩，然後以不太甘心的語氣說出自己的看法。

「我會把該地區上納的牛肉先拿給別人吃吃看，如果沒有出現任何異狀的話，就把你與內醫女，還有那名醫官都一起抓起來責以重刑，你心裏最好有個準備。」

「樂於從命。」

接到知事傳書的吳兼護趕緊召集內醫院的醫官們，連同最高尙宮、尙膳大人尙磊及提調尙宮一起集會討論。當初他接受崔判述所言，說根本不可能有這回事，完全不用理會。崔判述想要藉此機會，一舉把閔政浩和長今除掉，讓他們永遠都無法再回到宮裏來，他們那一夥人便共同決議如此進行，以圖計謀成功。

「根本毫無道理，您說說看，吃草維生的牛到底會中什麼樣的毒？」

最先提出反對意見的是提調尙宮，但尙磊緊跟在後面出聲。

「總之他們說不是瘟疫，而是牛有問題，所以萬一王上食用後有什麼不測的話，那不就糟糕了嗎？您就照著他們的請求去做吧，反正也不是多麼爲難的事。」

崔尙宮撇撇嘴，立意反對。

「有必要聽一名內醫女和逃亡者的話，如此大費周章嗎？何況那名內醫女還曾經想要謀害王上，犯下了逆謀大罪呢。」

「怎麼說到謀害王上的事了，難道您指的是長今？」

「正是。」

「光聽到被流放到濟州島去的長今又回來了，就已經夠令人驚訝的了，更何況還成爲了內醫女？那孩子是什麼時候成爲內醫女的呀？」

提調尙宮雙眼圓睜驚訝的問道，但崔尙宮根本不予回答。一則詳細內情自己也不知道，再則反正自己最近與提調尙宮之間，根本連話都懶得說了。

「不管怎樣，這都是件不容輕忽的事。王上的御饌若如此輕忽不顧，萬一出了大事可怎麼辦？」

「那麼，先找個人吃吃看比較好吧？」

「要由誰來吃呢？」

聽到提調尙宮的話後，吳兼護立刻左右張望的問道。

「王上的御饌不都是由水剌間最高尙宮負責的嗎？」提調尙宮意在言外的說。

「您的意思是叫我試吃囉？放著無數的宮女不叫，您非得要叫身爲最高尙宮的我做這種事，心裏才痛快嗎？」

「怎麼？妳怕了是嗎？」

「我怕什麼？」

「怕出什麼不測啊！如果眞是這樣，那妳到目前爲止所說過的那些冠冕堂皇的話，又有什麼意義可言？」

「我說過了不是害怕，只是說這並不符合最高尙宮的身分與體制。」

「會讓妳的身分提升的，不用擔心。」

「您這話又是什麼意思？」

「我會讓大家都知道，最高尙宮爲了確認食物是否有異常，甘願以身涉險。對下可爲眾人之表率，對上則能令王上更加踏實放心。難道妳忘了蟲草全鴨湯的事了嗎？」

提調尙宮把重點點出來之後，崔尙宮再也無話可說，只好閉上嘴。當眞是啞巴吃黃蓮，有苦說不出啊！偏偏尙磊還不忘加上臨門一腳。

「那麼，我就放心地交給你們處理，先行告退了。提調尙宮，就由您全權負責這件事的處理過程吧。」

「是。」

提調尙宮一臉得意洋洋，崔尙宮原本還想說句話反擊，但顧及眼前的情勢，也只好強忍下來，但胸口則早已怒火中燒。

早就該滅了長今那張口才對，她根本想與自己兩敗俱傷，所以當初應該讓她永遠都開不了口。偏偏那麼巧，自己正要計畫的時候，淑媛病重，爲了安定淑媛身心，只好重新計畫。如今想來，眞是大錯特錯，早該一鼓作氣拔除眼中釘才對。

比起吃牛肉一事，崔尙宮覺得被提調尙宮擺了一道卻無法反擊這一點，讓她更加氣憤，簡直就像受了奇恥大辱般，恨得咬牙切齒。

三天後崔尚宮在準備晚饌時昏倒，內醫院的醫官過來看診後，最先採取的措施就是發布禁食令，之後，長今與政浩就被釋放出來了。

政浩確定長今回到德九家後便馬上進宮。若想要直接上稟的話，得花費不少時間與繁文縟節，所以就先去找內禁衛長。像內禁衛長那樣深受國王倚重，卻長期停留在同一官職上的情況十分罕見。

負責保衛王上的內禁衛最高統帥，如果不是王上完全信賴的人，根本就不會獲得重用。除了選拔的過程十分愼重之外，只要被選上了，就不會輕易被換掉。

「當初不管我怎麼阻止，你都堅持要成爲儒醫，這下倒是讓你立了大功啦。不愧是我們內禁衛出身的人，到哪裏都大放異彩。」

內禁衛長高興得像是自己立了大功一般，答應馬上稟告王上。

「不過，在這當中不知道吳兼護大監會不會又插手搞鬼，企圖遮掩，所以請您一定要直接向王上稟告。」

「這你不用擔心，我們好不容易終於捉到了崔判述的狐狸尾巴，多年沉痾眼看著就要一掃而空啊！如何能夠再出差錯？」

崔判述因而被判下獄，沒過多久，吳兼護與朴富謙也遭逮捕。這次的罪行，由於崔尙宮並未涉案，所以並沒有遭到特別的處置。

政浩闡明瘟疫病因，一掃積弊濫床之功，升任內醫院副提調，並兼任承旨。王上同意政浩希望在內醫院服勤務的請求，特別直接破格施行這項任命，故政浩也被任命爲正三品堂上官同副承旨一職。

所謂堂上官即是國王上朝時，具有登堂入廳，獲得賜坐資格的意思。指的是可與王上同席討論大事，具有可擔任官署首長資格與品階的人物。

同副承旨是承政院六房中最小的官職，掌管工房事務。但承政院的六名承旨，在政丞與判書等重臣與王上面商國事時得以陪坐，也可以參與國家的重要會議，擔任會議記錄的工作。不僅如此，除了上疏文之外，王上下的詔書也必須經過承政院，換做今天來說，可以算是王上的祕書之位。

雲白升任典醫監正三品副正，但聽長今說，雲白聽到消息後，反而更往智異山深處躲藏了起來。最重要的是，長今復職爲內醫女，再度重新回到王宮，這是政浩最感滿足的事。雖然自己身爲副提調，可以毫不吝惜的給予一切支援，但體貼一個人最重要的還是讓她做自己想做的事。當初就是忘了這一點，才會反對長今回到宮中，現在想起來眞是痛恨自己，當初怎會器量如此狹小呀！

回到宮裏的長今，第一件事就是去診療崔尙宮的病情，感覺上實在有點怪異。在去崔尙宮的處所之前，卻先接到了提調尙宮召見的傳話。去到尙宮房裏，從提調尙宮這段期間一下子老了許多的臉上，長今才感受到三年歲月的無情。然而，對照於過去常處於恐懼中，顫抖不已的自己，現在的她已不再畏怯，可以毫無所懼的面對一切，這似乎也不能不歸功於歲月的歷練。

「再次看到妳實在驚訝，也很高興呢。」

說什麼高興?!聽到這樣匪夷所思的話，反而讓長今意外吃驚。

「聽說妳被派去負責診療最高尙宮的病情?」

「是的。」

「那妳可要特別費心，多多照顧啊！先前崔淑媛娘娘胎死腹中，如今兄長又這樣，定然十分傷心。」

「我會銘記在心的。」

「雖說她是趕走妳母親與韓尙宮的主謀者，但妳可不能因私忘公啊！」

一聽到母親這幾個字眼，耳朵一下子豎了起來，這句話難道是在說，當初讓母親蒙受污名，被冤枉趕出宮去的主謀者，就是崔尙宮嗎?

長今腦中一片混亂，只能茫然的看著提調尙宮，隱約感覺到提調尙宮會將此事說出口，與她想要牽制崔尙宮絕脫不了關係。

雖然這點是毋庸置疑的，但長今也很好奇提調尙宮想利用自己來對付崔尙宮的動機何在。還有爲什麼剛好在自己負責治療崔尙宮的此刻，要說出那些話來，這一點也頗令人起疑。

「妳明白了嗎？」

一直注視著長今表情的提調尙宮，催促著想要立即得到回應。然而不明瞭的事情還有一大堆，所以長今僅模糊允諾以後，就離開了那裏。此時長今想的部分沒錯，提調尙宮是想把她當成除掉崔尙宮的工具，只是她完全沒想到提調尙宮最終的目的，是要拿她當做拒絕承王上恩寵的連生代替品。

沒了蓋頭與背心盔衫，脫下二回裝玉色背心與藍色裙子後，躺在那兒的崔尙宮看起來十分陌生。曾經看著韓尙宮的凶狠眼神，曾經撼動水刺間的高亢聲音，現在都沉寂下來了，眼前就只是一個顯露病態的病人而已。

餵完了整碗準備好端過來的湯藥之後，崔尙宮還是沒有睜開眼睛。就算提調尙宮所言爲眞，但長今心裏完全沒有傷害崔尙宮的念頭，因爲她想要的並非是崔尙宮的死，而是洗刷母親與韓尙宮的污名，讓全天下都知道她們冤屈的始末。

再闡明，也就是再度去挖掘眞相。長今打算讓所有的事情都直接經由崔尙宮之口說出來，讓所有的人都知道。而在那天來臨之前，自己一定要比任何人都更仔細的照料崔尚宮的身體。

正在舉行箭術大賽的後苑射箭場裏，一絲風都沒有。王上龍心大悅，親自主持召集文官所舉行的箭術比賽。

太祖以來，歷代先王均特別喜愛並獎勵射箭，連文科出身的文官們都箭術高超，更屬一絕。

當今王上認爲「東夷」之「夷」字，乃是「大」字與「弓」字合併而成。大國有槍，倭人有劍，我國則以弓驕天下。

射箭可矯正扭曲的姿勢，治療腰痛，健全腸胃，也是內醫院大力推薦的運動。腰中繫了著袋的國王率先而出，拉弓姿態不動如山。人們稱此爲泰山之姿，看來巍巍壯壯，蔚爲神技。長今在醫官後面，眼神閃亮的注視著這般神氣的國君。

在放箭之前，拉弓瞄準的緊繃中，好像連時間和呼吸全都停止了一般。古人不是有言，神箭手的眼睛並非看著箭靶，而是凝視虛空嗎？這話的意思就是說在射箭之前，得把想要命中目標的渴望全部清空，懷抱無念無欲的狀態，全心虛空。

一箭直接命中紅心。衣著華麗、列隊佇立的民俗技藝團，在稱揚國泰民安的歌聲中，隨即展開一連串的舞蹈表演。

國王之後，射中靶心的是新上任的副承旨，內禁衛從事官出身的首席承旨，也是內醫院副提調的閔政浩，他的箭術堪稱神技，場中再度響起歡呼聲。但接著上場的中樞府同知事所射出的箭，就落在離箭靶有一段距離的樹叢裏消失不見了，令他不禁面露懊惱，以手搓揉額頭。

「你大概正在想別的事情，沒有專心吧，不然箭也不會落到那麼遠的地方去。」

國王多少帶著點戲謔口吻說。

「前晚熬夜未眠，導致注意力不集中。」

同知事的表情更顯狼狽，開口爲自己辯白。

「是那樣嗎？雖然不知道是什麼妨礙了同知事的睡眠，但讓你在比賽時落敗，可得好好的教訓一頓才行。」

王上滿面笑容，嘲弄著年紀比自己大的老臣，看來是覺得同知事的失手很有趣的樣子。

「來人啊！還不快過去把同知事的箭找回來。」

尙磊一馬當先的消失在樹林裏，但沒過多久，卻傳來哀嚎聲，把所有人的視線都吸引了過去，只見雙手抱頭竄出的尙磊頭上，飛舞著數不清的蜜蜂。

眾人一看皆不知所措，只是慌忙躲避，內醫院醫官們也個個袖手旁觀，不要說治療了，就連躲避蜜蜂叮咬的方法都不知道。

「醫官們在做什麼？還不快過來救救尚磊！」

由於醫官們舉棋不定，尚磊也只能抱著頭東藏西躲，不知該如何是好，若一個不小心，也可能會傷害到王上的龍體，所以他不敢拖著蜜蜂往這個方向奔，情況眞是危急萬分。

有些看不下去的醫官雖然也跑了過去，但都只會揮舞雙手驅趕蜜蜂，根本無法給予任何的幫助。蜂群甚至還改變了攻擊方向，轉而追逐醫官們，害他們魂飛魄散，四處忙著躲避。

「要假裝布穀鳥的叫聲才行……」

遠處看著焦慮不已的長今頻頻跺腳，猛然喚起了兒時的回憶。

爲了安慰被蜜蜂驚嚇，幾乎失神的女兒，父親曾經那樣說。後來更詳細的對長今解釋，因爲布穀鳥會抓蜜蜂吃，所以只要聽到布穀鳥的叫聲，蜜蜂就會飛快逃命。

「不要亂動，把身體放低。」

政浩也看不下去了，立刻靠近尚磊發出警示。

「請盡可能放低身體，把頭縮起來。」

尙磊抱著頭，把姿勢放低，過了一會兒乾脆全身貼地，好一陣子一動也不動，圍繞著四周的蜜蜂們終於失去興趣，再慢慢轉了一圈後，三三兩兩的離開了。

政浩這才揹著尙磊，把他移到樹蔭下，可憐的尙磊整個臉到坦露於外的身體，全都體無完膚的紅腫起來，光從旁邊看都覺得情況危急。

「尙磊，尙磊，你還好嗎？」

國王親自垂詢狀況。

「請饒恕老奴。王上。」

「怎麼回事？怎麼會弄成這副模樣？」

「找箭的時候，沒有看清楚，不小心捅到了蜂窩。」

「眞是的……醫官們在幹什麼？還不快去照料尙磊！」

原本跑開去的醫官們又重新聚集過來，卻也只能茫然的看著，完全幫不上忙。不僅沒有經驗，尙磊的情況看起來也異常嚴重，醫官們沒有人敢隨便下手治療。被蜂螫到時，通常會紅腫疼痛，極癢一陣子後，慢慢的就會平復下來。不過情況有時也因人而異，有的會引發過敏現象，導致氣喘發作或呼吸困難，嚴重者，甚至可能死亡。

看起來，尙磊的情況正是如此，全身起疹子就是特徵，得趕在失去意識前做些處置才行。但醫官們卻個個只顧著拔掉自己身上的蜂針，吵成一團，根本沒人顧得了別人。

長今趕緊從流蘇垂飾中拔出銀妝刀，悄悄遞給了政浩，並在他耳邊低語。

「快用刀背把蜂針往旁邊輕壓橫倒後拔起。」

看到政浩快速行動，長今才跑回樹蔭下去。爲了阻止毒液擴散到全身，必須先用冰敷，但當場也無處可取得冰塊，就在惋惜之際，突然看到了可用的替代品，長今立刻折了根樹枝開始把青苔刮下來。

政浩加快手上的動作，但把蜂針全部拔除了以後，尙磊卻開始發起高燒，並發出陣陣疼痛的呻吟聲。接過長今遞來的青苔，政浩不禁皺起了眉頭。

「把這個敷在被叮咬的患部上，就可以讓毒性與熱氣消散。」

「是嗎？」

政浩原已準備照做，卻遭到一名醫官出面阻止。

「大人！從沒聽過也沒看過有人用青苔來治療蜂毒，應該更愼重才是。」

「說得沒錯，青苔是長在污水裏的植物，我擔心一不小心就會讓患部發炎。」

醫官一個個出面阻止，政浩也不敢輕舉妄動，只能低頭看著手上的青苔。

長今其實並不想站出來說話，但現在無論如何爲尙磊解除痛苦才是當急之務。
「青苔具有解熱的效能。」
「大膽！現在是在什麼人面前，竟敢如此放肆？」
「依奴婢所見，尙磊公公與一般人不同，出現了蜂毒的過敏反應，毒液經由血管快速擴散，若不趕快動手治療的話，恐有可能危及性命。」
「那麼，用青苔又能做些什麼呢？」
「青苔是保護樹木和花草根部不受冷熱及乾燥傷害的植物，而且連在貧瘠至極的土地上或石頭上，青苔都可以展現出旺盛的生命力。把青苔加水煎煮，就可以拿來當作控制肝炎，治療口熱、心熱、熱毒症和黃疸等各種熱病的卓越藥材。」
「妳竟想用妳淺薄的知識，在此亂開處方，小小一介醫女休在此賣弄！」
長今沒有辦法只好閉上嘴，她最不希望看到的，便是讓政浩的立場更加爲難。
「醫女不是也受過嚴密的醫術教育嗎？」
此時一直在旁靜觀兩人你來我往的王上親自開口詢問了。
醫官慌忙的低頭回答：「是。」
「那她大概也有其他的想法，才會提出那樣的主張吧。」
「但是，王上……」

「她就是之前與典醫監醫員鄭雲白一起，以在安城治療瘟疫之功，進入內醫院的醫女。」政浩截斷醫官的話，扼要說明道。

「是嗎？有個醫女立了大功的消息我聽說了，還在好奇是哪個醫女呢，原來就是妳啊！真是了不起。妳可是救了無數百姓的性命。」

「奴婢惶恐至極。」

「看尙磊這麼痛苦，醫官們又找不到合適的治療方法，不如就相信那位醫女，讓她試試看吧。」

聽到王上的話，醫官們全都露出悻悻然的表情退下了。

政浩迅速地將青苔攤開覆蓋在尙磊兩頰和額頭上，長今則緊緊盯住他的一舉一動，臉上開始發熱，心裏也七上八下的，萬分忐忑。想不到萬人之上的國君會聆聽醫女的話，甚至獨排眾議給予支持，不愧是建立醫女制度的成宗大王之子，做出的決定也完全合乎先前禁止醫女參加宴會的旨令。

尙磊的緊急救治結束後，中斷的射箭比賽又接續下去。長今也回到之前的位置，再度隱身在醫官之後。

這次輪到吏曹判書拉弓，但一度中斷的興致已經不再，王上的表情也顯得興味索然。東瞧西看之際，卻一眼看到了長今，王上眼中立現光芒，但長今什麼也沒感覺到，只忙著冷卻無法平靜下來的激動情緒，設法安定心情。

聽說淑儀洪氏似乎夢熊有兆，把過脈後，果然發現掌管妊娠的任脈活躍跳動著。

「娘娘，恭喜您。」

屏息以待的淑儀，聞訊幾乎喜極而泣的緊握住長今的手。

「眞的嗎？實在太感謝妳了。」

「我又沒做什麼，怎好讓您這樣說呢？」

「不，如果沒有妳，我怎麼可能會有像今天這麼高興的日子呢？」

「胎教可需要您傾注所有的心力與誠意，隨著孕期與季節，請好好攝取飲食以調理營養與情緒。」

「噢，是這樣嗎？該吃什麼料理才好呢？不管如何，只要是妳叫我吃的東西，我一定都會好好的吃。」

「加了青豆仁的松糕，或者與海蔘、鮑魚同煮的竹筍對胎兒的頭腦有益。還有蔓菁粥可補娘娘元氣，因爲蔓菁對五臟很好，可讓身體放鬆，滋補元氣，食用蔓菁醬菜的話，可減緩孕吐。石鍋煮的蘿蔔牡蠣飯，同樣可以用來滋補元氣，安定神經。另外，在去掉內臟的鮒魚肚裏塞入鮑魚、海蔘和松子，加入鯉魚的眼珠一起用黃土烤了食用，可補充奶水。鮒魚以陰曆八月，鯉魚以從十二月到三月間捕獲的最好。鯉魚裏絕對不能與砂糖、冬葵和蒜頭一起調理，這點要特別注意。點心的話，可以食用用蜂蜜包裹的蜜煎竹筍、桃酥，以及麥芽糖做的豆米花和芝麻酥，還有甜米釀。」

「知道了，只要是對胎兒好的料理，就算是蟲子，我也願意吃。但是，我可以拜託妳一件事嗎？」

「請說。」

「我想吃妳親手做的安胎料理。」

長今聞言大吃一驚，幾乎連呼吸都停止了，因爲自己曾經發過誓，絕對不再烹調料理。

「不知道是不是因爲害喜的關係，最近嘴裏總覺得很淡，沒什麼胃口。長今，妳不是具備了贏得最高尚宮比賽的優秀手藝嗎？如果不是妳，又應該由誰來調理有益胎兒的料理給我吃呢？」

雖然她很不想做，但這並非別人，是淑儀的請託啊！

「謹遵囑咐。」

從淑儀的殿所出來後，長今在門前遇到崔淑媛，不知是不是在意想不到的地方見到長今的關係，淑媛的眼神顯得十分慌亂。

「娘娘，淑媛娘娘來了。」

侍女尙宮的聲音解救了長今的尷尬處境。

「快請進來。」

聽見這個聲音後，長今便深深的鞠躬告退。

「長今啊，上回我一聽到妳來過的消息，馬上跑出去找妳，可是妳已經走掉了。那天晚上我不知道哭了多久。」

連生涕淚縱橫，同樣的話已經反覆說了三次，抓著的手死也不放。長今是趁到水刺間來幫淑儀烹調蔓菁粥的機會，順便過來看看連生。

崔尙宮還沒有完全痊癒，所以來此無需看任何人的臉色。

「我也因爲沒能看到妳就得離開，差點邁不開腳步啊！聽到妳整晚都沒有回處所，都不知道有多擔心……不是說提調尙宮嬷嬷把妳叫去的嗎？」

「別提了！眞是的！叫我要好好妝扮，端著酒菜到王上所在的大殿去，幹什麼啊。我嚇得要死……」

「妳說是提調尙宮嬤嬤要妳那樣做的嗎？」

「就跟妳說是那樣的啊。」

不用再問下去，大概也猜得到是怎麼回事，提調尙宮果然想利用讓連生承聖恩寵，以牽制崔尙宮。

「所以呢？後來怎麼樣了？」

「王上不知道是不是有什麼心事，或者正好心裏不舒坦，總之只是一直不停的喝酒。我的腳跪得都快麻掉了，偏偏動也不能動一下，只能不停的斟酒。然後天快亮時，王上就醉倒了，我自己也覺得好險噢……」

「那之後什麼事都沒有發生？」

「那時拚命想著：現在該怎麼辦才好，既出不來，又不能躺下去，掙扎了老半天才決心逃掉。實在是睏得要命，再也忍不住了，但也不能就那樣睡在王上的寢宮裏啊。」

「妳既然逃出來了，怎麼整晚都沒回去處所啊？」

「那是因爲逃出來沒多久，又被提調尙宮嬤嬤逮到，捉了回去的關係啊！」

「怎麼會那樣！」

「她一直威脅強迫我再回王上那兒，我只好一直哭，一直求饒。」

「妳說了什麼？」

「我說那裏好可怕，我不要回去啊！」

「那提調尙宮嬤嬤就那樣讓妳離開了嗎？」

「怎麼可能？她把我關在倉庫裏，一直到妳走之前才把我放出來。」

連生回想起那天的惡夢，又開始顫抖起來。長今終於有些明白提調尙宮會把母親的事情洩漏出來的原因了。或許是她斷定，就算再製造機會把連生送去給王上，連生也只會因爲太過純眞而把事情搞砸，不會照著她的意思行動，所以才轉而將目標對準會在心中深植怨恨的長今。

「謝天謝地，幸好最終沒有發生任何事。」

長今由衷感到慶幸，萬一眞的承聖恩寵，馬上就會淪爲與崔氏一門鬥爭的傀儡。連生太柔弱、太善良了，一定承受不起那種殺戮戰場。

「長今啊，我前兩天才在磨刀石上磨好，想等妳再來的時候交給妳，沒想到這麼快就派上用場了。」

是那把菜刀！一觸及刀身，淚水立即奪眶而出，眼前變得一片模糊，什麼話都說不出來。

「這把刀是我最親密的好友用過的，就是被陷害逐出宮去的那位好友。」

母親用過，韓尚宮長期珍藏的這把菜刀。母親用來切菜，心中懷抱成爲最高尚宮的夢想。後來韓尚宮每回拿出這把刀來看的時候，心裏都在想些什麼呢？懷念著遭冤枉迫害、生死未卜的好友？還是磨刀霍霍，想著有朝一日，一定要向崔尚宮復仇呢？長今想到這裏，不自覺的搖了搖頭。韓尚宮絕不是那種會被復仇心支配而虛度光陰的人。她只會不斷累積實力，努力成爲最高尚宮，以完成自己與好友的夢想。

長今從連生手裏接過菜刀來緊緊握著，當時韓尚宮根本不知道自己是好友的女兒，就毅然決然的將這把刀送給了自己。第一次接過這把刀時，心裏只想著這樣的一把刀，背負著韓尚宮、韓尚宮好友，以及自己的誓願，想不到冥冥之中，在未知之際，千折百迴的眞相已找到了揭露的出口。

長今擦乾眼淚，握緊刀柄。燙熟蔓菁，瀝掉水分，再煮，再瀝，一定得重複三次才行，而且還不是做好就可以食用的食物，而是要將反覆三次瀝乾後的蔓菁磨成粉末，混在米裏熬煮成粥，葉片則榨成汁，拌粥食用。

在等待蔓菁瀝乾的時間裏，長今把銀非也叫來，讓她跟水刺間的至友們認識親近。閔尚宮、昌依、連生、銀非都聚在一起，感覺恍在夢中，好久不曾如此開懷暢談的長今，臉上也終於露出了歡喜的笑靨。

第六章　主治醫

那年秋冬一直到第二年春天到來的歲月，是長今在宮內生活中最平和，也最幸福的時期。有連生和銀非兩個朋友在身旁，內醫院有政浩，內禁衛有一道，典醫監又有雲白做爲支撐的後盾，再沒有比此時更牢靠踏實的日子了。

正當世上呈現一片嫩綠的時節，長今在前往朴敬嬪殿所的路上，遇見了從內醫院回來的雲白，於是兩人同行，春天總是那樣讓天地燦爛得教人打從心眼底雀躍起來。

「是蒲公英！」雲白差點一腳踩下去，及時避開的同時這麼喃喃自語著。

「做成煎餅的話，給大人下酒一定夠味！」長今直覺的說。

「看來妳要成爲醫女，還有一大段路要走啊！」

「大人爲何會有此一說？」

「因爲妳先看到的是食材，看來尚未完全能脫離水剌間啊！」

「蒲公英是治療腫瘡、咽喉炎、腹膜炎、急性肝炎、黃疸有效，對發熱而小解困難者有益，可治婦人乳房炎，也是通乳上等的藥材。」

「妳那麼瞭解，怎麼還是先談吃的呢？」

「對身體好的藥材也可以用作食材，就因爲它有這項特性，才會這麼說呀。」

「好，所以才說春天裏沒有不是山菜的新芽，也沒有不是藥草的草根啊！」

長今反覆咀嚼著雲白的話，面帶微笑。

所以貧困的百姓都高興地迎接春天，在春意乍現時，就急著上山去摘食新芽，補足長久未能飽足的腸胃，同時挖掘草根捲起來存放，以備病痛時所需。

此時人們才恍然瞭解，能在冰天雪地裏熬過刺骨寒風存活下來的東西，只要等待到一線春陽，就可以長成優質的食物和藥材。其實不僅是植物，備受煎熬的人不也都把陽光視爲可貴的生機嗎？

「長今，相信妳一定知道一個醫師在望、聞、問、切脈四者中，任何一項都不能疏忽，這話妳還記得嗎？」

「您在強調察診法的重要性時這麼說過。」

「是的，我也說過妳得從經驗中領悟方法和道理，這話妳可也記得？」

「是的，您還說過要我成爲神仙。」

「我那樣說是希望妳在一開始習醫時，就能打穩基礎，以便一路向上的意思。」

「難道意思不僅於此嗎?」

「漢醫學是沒有固定模式的，有些病症用過所有察診法後，仍無法掌握，但也有些病症一看臉色就可猜到。所以一流的醫師只要聽到說話聲，就能確定是得了什麼病;二流醫師還須察探臉色，但我這個庸醫可是比把了脈仍似懂非懂的三流醫師都不如啊!」

「請您不要這麼說，我認爲大人是可讀到病患內心，優於一流之上的醫師啊!」

「妳成爲通靈的醫師吧!」

「是與鬼神相通的意思嗎?」

「呵呵，」雲白笑道:「通神、通鬼都行啦，哈哈!」

「是鬼是神還是次要，倒是大人的語意，我還不是非常清楚。」

「妳說我能讀病患的內心，或許應該說是讀人的內心吧!儘管大家都說醫者應該對疾病瞭若指掌，但世上明明存在著許多無法瞭解的病症，即使已經清楚病因了，卻仍無法治療，這時就得要聽到自己內在的聲音才行。」

「是要我按自己的想法下判斷的意思嗎?」

「對啦!只讀一位病患的內心，終究仍有其限度，必須與神仙相通，那就是經驗累積而來的知識，也是傾聽自己心聲的方法。」

「我未能完全聽懂所有的意涵。」

「我也未能到達那個境界，不過，倒是由衷期待有一天妳能領悟出我所說的眞意。」

「與神仙相通得先成爲神仙才行，結果還不是跟成爲神仙完全一樣的意思。」

「與神仙相通比起成爲神仙更加困難，世人常謂一切皆空，即爲神仙吧？換句話說，只要能夠拋開一切，那也不是什麼困難的事，但拋開的，並非只有欲心啊，神仙是連情愛都沒有的！仙界裏一面下棋，一面嘲弄人間俗事的神仙，是任何事都不會上心的。一面過著喜怒哀樂的人生，一面對其他喜怒哀樂的眾生產生無限惻隱之心的人，比之神仙，更爲世人所需要。我所謂的與神仙相通，指的就是不僅拋棄一切，而能如神仙體會病患疾苦，簡直可謂神仙之上的人。」

「可您不是也說，若是生氣的話，就會先傷到自己這個、那個內臟嗎？」

「妳眞愚蠢！我根本是在對牛彈琴嘛！」

「我不知道大人竟是如此迷信的人哩！」

「我嗎？」

「之前你不是叫我成爲醫女嗎？等我當了醫女之後，你又要我成爲神仙啦，成爲通靈的醫者啦，現在甚至要我躍升至神仙之上，不是嗎？」

「在妳聽起來，我的話變成那樣嗎？」

「現在到底要成爲什麼，我更抓不到頭緒了。」

「無論什麼都可以，妳成爲什麼都沒問題，而且成爲什麼都沒關係，因爲不管妳做什麼事，結果對人們總會有好處呀！」

「大人這麼過獎，我都不知道該怎麼自處了，但大人的話似乎總能比任何人的稱讚，都給予我更大的力量。」

聽長今這麼說，雲白突又有點靦腆的掩飾道：「我好像又說了糊塗話了，大概是這段期間酒喝得太多的關係吧！」

長今舉手遮住陽光笑了，雲白瞇著眼看了她好一會兒，然後把視線投向遠方，獨自嘀咕道：

「智異山裏的山茱萸一定已經盛開了吧！」

「曬過春陽，蠢動的痼疾可能又復發了。」長今半開玩笑的說。

「也許是吧，能乖乖沉寂整個冬天，我自己也覺得很新奇呢。」

雲白不知怎麼，模樣和說話都像是個要出遠門的人，偏偏長今有急事待辦，無法再深談下去。

「大人，我得先忙去了。」

「妳走吧。」

「等事情辦完了，我會帶蒲公英煎餅去拜訪大人的。」

雲白沒有答應，只是呵呵地笑，揮了揮手，要她趕快走。轉過身去的長今不知怎麼，有種像是被他推開的感覺，心情有些鬱鬱不樂起來。

朴敬嬪所生的惠順翁主❶和惠靜翁主在反胃作嘔之後，齊齊躺下了。內醫院診斷爲氣血轉弱引起的暈眩，上了補藥，診斷爲單純的春季病，幾天後惠順翁主順利痊癒了，但惠靜翁主的病勢卻加劇不癒。

敬嬪忍不住發火，把當值醫官和長今都叫來罵了一頓，而當值醫官正好是內醫正鄭潤壽。

在長今看來並非單純的春季病，而是眩暈，也就是因爲體力變弱而引發的眩暈症。眩暈跟眩氣症不同，眩氣症是暫時性頭暈目眩，不久便會停止；眩暈則是持續性的天旋地轉，會用發黑的「眩」字加上表示旋轉的「暈」字來代表病名，就是這個道理，發病時無法保持均衡或站立不穩，感覺無力，腦袋空空，伴隨著茫然，經常還會反胃及嘔吐。

據長今所知，這種病可以有風、火、痰、虛四種起因，因此必須找出正確的起因，才能做適當的治療，光是煎了補藥呈上，實在令人焦急心慌。

到生日的前三天，惠靜翁主仍看不出能起身的動靜，朴敬嬪終於忍不住下了最後通牒，恐嚇說要所有負責的醫官和醫女，甚至是內醫院所有相關者全部償命並絕後。

敬嬪生了兩位翁主之後，又生了福城君嵋，極得王上寵愛，但她對於章敬王后死後，自己猶未能繼封為王后則開始心生不滿。接著尹妃登上后座，稱文定王后，從此敬嬪相信是因為自己非出身貴族，未能建立強而有力的姻親所造成的。所以日常只要稍有不順，便無視宮中綱紀，罔顧人情世故。此時她會說出要叫醫員償命絕後的話，絕非只為情況緊急才發出的威脅。

內醫院副提調閔政浩叫了幾個相關者來商議，之所以也讓內醫女長今出席，完全是因政浩特別擔心她的緣故。

「朴敬嬪吩咐說一定要讓惠靜翁主在生日前一天好起來，如何可達成這道命令呢？」

「那……那個……惠順翁主已經起來了呀，惠靜翁主的好轉較慢，我們也正為

❶妃子所生之庶女稱翁主。

此著急呢！」

「會不會是誤診為別的病症？」

「哪有這種道理？三名醫官的意見都一致，確信兩位患的是同一種病。」

「若是如此，怎麼惠順翁主已經戰勝的病，唯獨惠靜翁主無法痊癒呢？」

「惠靜翁主個性敏感，所以容易受季節的影響，應該慢慢的就會好轉，請別太擔心。」

「現在可沒有時間再慢慢等下去呀！」

政浩一表現出納悶不解的模樣，醫官們便緊閉著嘴，彼此交換眼色。長今終於認為即使是為了政浩，也不能再沉默了，便說道：「依我淺見……」

「妳以為今天開的會是為了要聽妳醫女的意見嗎？是誰叫妳隨便發言的！」

內醫正鄭潤壽勃然大怒的打斷了長今的話，自從青苔事件以後，鄭潤壽就視她為眼中釘，已到了幾乎凡事必挑剔的地步，可是，身為內醫院副提調的政浩卻力挺長今。

「這是什麼話？王上鄭重對待所有接受醫術教育的人，這也包括醫女在內呀！若說醫女的意見都一概忽視的話，那國家又何必花大筆的金錢來培育醫女呢？內醫女請別介意，儘管說出妳的意見！」

「是，依我的淺見，那並非單純的春季病，比較像是眩暈的樣子，此病起因有風、火、痰、虛四種，得按其發病的原因，給予不同的處方才行。」

「這麼說兩位翁主的發病原因也不同囉？」

「是的，若是因痰引起，那是由於消化機能虛弱的關係；由虛症發病的話則是因爲氣血不足而貧血之故，惠順翁主可能因其中一種而發病。另外若是由風或火而引起的話，多半肇因於肝，惠靜翁主應該就是起因於此。」

「那麼，怎麼做比較好呢？」

「我認爲應轉用針對風、火病症的處方。」

「一派胡言！」

「沒聽過這種荒唐無稽的道理！到目前爲止治療此類患者時，也都沒有發生過任何問題啊。」

長今建議更換處方的話才說完，大家便你一言、我一語的全場變得鬧哄哄，醫官們此刻對於年紀輕輕便擔任副提調的政浩正齊生不滿，況且政浩又庇護低賤的醫女，氣氛當然更加險惡，但政浩的態度毫不動搖。

「我瞭解病可大致分爲虛症和實症，虛症要補，使身體增強精氣，實症則要瀉，以去除體內不好惡氣，即所謂的補瀉法，不是嗎？」

「那個和這情況不同。」

「有什麼不同?」政浩追問。

「不管虛症還是實症，起因相同就是同樣的病，所以不能處以不同的處方。」醫官堅持。

「那麼，為什麼用同樣的處方，一個已經痊癒起來了，另一個的病情卻漸漸惡化呢?這個道理你要如何解釋?」

「那……」

「不只是體質的差異，還加上了心理的差異才會這樣，雖同樣是春季病，但一個受到季節交替更深的影響，對季節也更加敏感。」另外一名醫官聲援道。

醫官們異口同聲地附和著，但長今卻無法同意這個診斷，眼前最緊急的是惠靜翁主的治療，因為朴敬嬪火冒三丈之下，可能會把所有責任都歸罪於政浩身上啊!於是長今決定獨排眾議。

「所謂辯證施治，就是必須動員所有的資料判別病症，而非只用已知的方法。請相信我，這次就交給我來負責吧。」

「新的方法不管是什麼，開始一段時期總是生疏的，如同我們現在熟知的方法，在開始之初不也十分生硬嗎?……」聽了內醫女的話，讓我們明瞭到同樣的病可有不同的治療方法，不同的病也可能有同樣的治療方法，這就是所謂的同病異治，異病同治，我們就放手交給她去治療吧！」

沒有回應，但議論聲不斷，表示他們並沒有放棄反對。

等眾人都出去，只剩下兩人獨處時，長今表明了暗自擔憂的心事。

「因爲我的關係，大人可能會受到不必要的責備。」

「我只是盡我的職責而已，他們若還要故意挑剔，企圖興風作浪的話，那就隨他們去好了！」

「大人好像太明顯偏袒我了。」

「說的話若是錯的，才叫偏袒，若是對的，哪來偏袒之說？」

長今無可奈何的以嗔怨的眼光看著政浩。

「說錯話時，本來就不該偏袒，而是該導正啊！」

「不。」不料政浩竟也一口回絕。

「大人說不？」長今幾乎懷疑自己聽錯了。

「首先，妳根本就不是個會亂說話的人，即使偶有那種情形，我也會先裝不懂而略過。若是妳說的是對的，誰都會點頭贊同啊！何需要我來支持呢。」

「大人怎能如此不辨是非？」長今駭然，「眞的這樣的話，我怕對大人有害呢！」

「只要妳別弄錯，好好做不就行了？一直以來不都是這樣嗎？」

政浩彷彿完全感受不到長今的擔心，一臉平靜地輕鬆以對。

長今捨棄對體衰者無限制進補的治療方式，改採相反的降熱治療。兩天後，也就是惠靜翁主生日前一天的傍晚時分，她從病榻上抬起清秀的臉，並且第二天如期接受生日宴的祝賀，說說笑笑，不見一絲病容。然而，內醫院的議論卻更加沸騰，醫官們齊聲對於醫女施鍼、用湯以及付予她這些權限的內醫院副提調，爆發出全面的不滿。

吳兼護退職後，接替他位子剛當上都提調的丁順奉一開始就遇上如此棘手的難題，醫官們紛紛脅迫說若不處罰閔政浩的話，就要上疏，丁順奉拿他們沒辦法，只能支吾應對。

此時偏巧又遇慈順太后臥病，情況緊急反轉。慈順太后最初在成宗大王四年（一四七三）被封為淑儀，之後於王妃尹氏被廢出的隔年，接受了「正賢王后」的封號。身為當今王上親母后的她，當年在一旁看著燕山君的暴政，不時暗暗擔心兒子晉城大君會出岔子，天天血氣紛擾，煎熬度日。但是當朴元宗率領士兵進入景福宮，請求廢除燕山君時，毫不遲疑勇敢下懿旨准奏的人也是她。

曾有這段經歷的母后，如今臥病在床，對王上、王后來說，恍如晴天霹靂，令他們更加焦急的是，除臥病之外，不知什麼緣由，太后突然堅持不治病也不進食，就連王上王后早晚前去泣訴懇求，也不首肯。

太后連王上的懇求都拒絕了，更別說是其他人了，內醫女等人的懇請她又怎麼會聽呢？最後連長今和銀非都加入行列，但仍毫無進展。

適水不進已過了三天，再這樣下去，原本沒有的病說不定會陸續浮現。長今深思熟慮後，決定去找淑儀。

「太后仍然不肯進食嗎？」

「是，連話也不說一句。」長今回答。

「眞是糟糕，上位者要穩健，所有內命婦才能安心……」

「好像是在跟王上賭氣的樣子。」

「哪有這種事？」

「我留心觀察過了，王上每次去問候她時，太后的精神似乎就更不好，她從來沒有暗示過是爲了什麼事嗎？」

「沒有，兒子不該是最鍾愛、最寶貝的人嗎？」

「正因為珍惜，所以要擔心的事也跟著增多呀。」

「話是沒錯……難道是為了那件事？」

「太后指明是為了哪件事嗎？」

「王上過分偏愛宋祀連大監了，曾聽過娘娘為此憂心。」

宋祀連就是引起辛巳誣獄（西元一五二一年），將安處謙處刑的人。宋自嘆出身低微，中舉為官時曾為沈貞所用，登上觀象監判官的位置，之後與妻姪鄭常共謀，誣告安氏一家，意欲除掉沈貞、南袞等人，而將安處謙一門全數殺害，事發於中宗十六年辛巳，故稱辛巳誣獄。

宋祀連因功升至堂上官，以後三十餘年間，都是個頗具權勢的人物。

「難道就為這些事而病倒，以至於飲食全廢嗎？」

「雖然如此，可是王上登基後，國政從來沒有像最近這麼平靜呀，除了那件事，也沒有別的事件嘛。」

或許做母親的對於兒子過分關心，便容易掛心傷神，畢竟距離將趙光祖等新進人士肅清的己卯士禍（一五一九年）不過才兩年，現在又見流血事件，當然會擔心不已。

問題是王上太偏愛宋祀連，這一點深怕過猶不及都會壞事，己卯士禍就是一個活生生的例子，當初若不是對趙光祖無條件的信任，也不可能發生。或許太后是擔心王上對宋祀連的信任，又會引來另一樁血禍事件。廢除舊王而登上王位的國君，也有可能被臣子以同樣的方法推翻啊！

長今首先端藥進去碰碰運氣。

「娘娘，請喝湯藥。」

太后漫應一聲後就轉過身去躺著，之後連呼吸聲都幾乎聽不到了。太后過去從不挑剔各種飲食，也喜歡嘗試各類點心，但現在這模樣卻與昔日完全不同，只是一個蒼老又瘦弱的母親罷了。

「王上、王后均終日憂心，兩位都說若娘娘不進湯藥的話，他們也不進食。」

太后肩頭一震，隨即又恢復成老樣子，依然動也不動。

「那麼我也等到娘娘喝下湯藥才動。」

聽到兒子媳婦爲她飲食全廢也不動聲色，又怎麼會理會一個醫女的話呢？

太后動也不動背對躺著，長今也跪坐著一動也不動，兩人之間只有一碗無言的湯藥和緊繃的氣氛罷了。

足足過了兩頓飯的時間，長今的腳已經失去了知覺，但她眞正擔心的，還是太后的身子。

「娘娘，肩膀不痠嗎？一邊受壓太久的話，會傷到玉體的。」

太后終於開口了：「妳眞的那麼擔心的話，出去不就行了嗎？」

「我退下的話，您就願意轉換姿勢嗎？」

「妳煩死了，馬上給我退下！」

「您若肯聽我的條件，我就退下。」

「妳說什麼？」

太后忽地起身坐著喝問，長今嚇得直打哆嗦，只來得及吞下差點喊出來的尖叫。長今跟太后視線對個正著，又迅速轉開。那一瞬間差點連氣都喘不過來。

「小小一個醫女竟敢跟我談條件？」

「是，您若猜中了我的謎題，我就乖乖退下，但若猜不中，就請娘娘喝下這碗湯藥。」

這是深思熟慮之後做出的提議。長今的算盤是不管有沒有猜中，太后都會喝下湯藥。

「妳大概精神失常、神智不清了，看來該吃藥的不是我，而是妳。」

「雖然生活在宮內，但內醫女也不過是一介百姓，對百姓來說，王上就是天，就是希望。然而王上如今卻不進穀食，之所以會如此，乃是因爲身爲王上的天、王上的希望的太后娘娘您，始終躺著，拒絕進任何湯藥的關係啊。」

太后一面怒視著長今，一面傾聽著她的話。

「要是娘娘喝了湯藥，王上也願意再度進食的話，那我就算精神失常，也甘之若飴。」

「眞是個唐突冒失的孩子啊！可妳的臉怎麼看來有點面熟呀？」

「四年前水剌間最高尚宮競賽的事，您還記得嗎？」

「噢，我想起來了，妳不就是韓尚宮手下的上饌內人嗎？」

「是。」

「做菘菜餃子的也是妳呀！」

「您還記得，奴婢眞是惶恐。」

「可是，妳怎麼會變成醫女呢？」

長今愣住了，如果照實說，若得把遭受逆謀罪名的事也一併告知，太后可能會更加堅持不喝曾欲加害王上的醫女端來的湯藥，但話題既已觸及，如今除了坦然相告，也沒有其他辦法了。

「韓尚宮嬤嬤是我的師父，又像母親一樣疼愛早失父母的我，所以一聽到韓尚宮嬤嬤要以逆謀罪被抓走的消息時，實在無法袖手旁觀，才會魯莽的跑到王后殿去，想求見王后娘娘，把冤屈的事情經過向她稟告，因此奴婢被抓去濟州島監營當官婢。」

「那麼說，妳並未參與韓尙宮的逆謀大罪囉?」

「這一點我可以在天地神明前發誓。」

「胡來!妳現在是站在誰的面前?!竟發什麼被冤枉的誓!朝廷會誣告無罪的尙宮嗎?難道妳想追隨師父而去嗎?」

太后大發雷霆，長今不得不暫時住了口，此時若貿然回應，恐怕也有如火上加油而已。

換了話題似乎更造成太后的不快，讓原本一直怒目而視的太后頓感口乾舌燥。長今趕緊抓住機會開口。

「娘娘，您要賜我死也行，請娘娘先喝下這碗湯藥吧。」

「妳那麼想死啊?」

就在這一瞬間，許多臉蛋浮現過眼前：父親、母親、韓尙宮、丁尙宮……

自己就要與先走的那幾位見面了，所以不成問題。倒是連生、銀非、雲白、一道還有政浩，以及德九夫婦的臉龐一一浮現，長今在心裏仔細盤算，丟下他們的愛就這麼離開，值得嗎?

因為明白失去所愛的人是多麼心痛的事，一時之間不禁有些猶豫，可是長今隨即確信自己的死並不會留給他們太大的悲傷。如同雙親、丁尚宮和韓尚宮的死之於自己一樣，因為長今現在已經瞭解到，死亡並不是從此消失不見，而是永遠活在人們心中。

「如果一定要拿我的性命來換娘娘服用湯藥的話，那我雖死亦無憾。」

長今正面與太后對視，這次太后好像終於被長今的氣勢給震懾住了。

「好！說出謎題吧！要是我猜中了，你就得乖乖退下，命也得交給我，知道嗎？」

「遵命。」

長今深吸了一口氣，輕輕咬住了嘴唇。太后也好像很緊張，兩眼一眨也不眨的注視著長今。

「有一女子乃是一位食醫，據說大國的黃帝第一次設食醫，也是因此女之故。她雖出身為奴婢，卻是家裏所有人的師父。傳說此女子生前是山，死後天下則變成海，此女究竟是誰，請太后娘娘猜一猜。」

食醫制度不僅在大國施行已久，在朝鮮也一直存在到李朝初年。這個用語在負責宮廷飲食的司膳署內，至正九品官職都需使用，主要負責王室食用食材的驗收，注意衛生與否。高麗時代初設置尚食局，到忠宣王（高麗第二十六代王，一二七五—一三二五）時改稱司膳署，一直持續到朝鮮初期。

太后略帶不服的兩眼斜睥著長今，彷彿是在說題目太困難，但長今這邊出的可是連性命都賭上的謎題啊！

太后不斷地轉動身子，彷彿一時也無法鎮靜下來，接著就像猛然想起什麼似的僵住，皺著眉頭一動也不動。

長今偷偷瞥了太后一眼，想看看太后的動靜，沒想到這一看卻令她大感驚惶。

「娘娘為何掉淚啊？」

太后在哭泣。光是看到太后的老淚，不論原因便能令觀者心酸落淚。

長今也淚眼汪汪的跟著哭起來。

「那個女人就是母親！對不對？」

「是……」

如今長今的性命已不是自己的了。

「母親無時無刻不掛心全家人的健康，總是費盡心血不讓家人生病或吃錯東西而影響了健康，可稱為良醫。她終日像奴婢一樣包辦一切家事，還不忘教導子女做人處事的道理，所以生的時候，像泰山一樣可靠，死後子女的淚水悲泣自然成為海，對不對？」

長今忘了自己就快要死掉的事，像個孩子般拚命點頭後又流淚了。看到年老的太后落淚，母親和韓尚宮的臉蛋便浮現在腦海，再次挑起了她的椎心之痛。究竟要到何時，才能相信她們永遠存活在心裏，而不會思念與淚水齊下呢？到底要到何時才能完全消除這每一想起，便壓抑不住的悲傷與憤恨呢？

哭了好一陣子之後，太后終於端起了藥碗，被淚水濕糊了眼眶的長今深怕看錯，趕緊擦乾眼淚再看，果然太后正喝著湯藥，看得長今喉頭哽咽，視線又再度模糊了。

「妳退下吧。」

太后喝完湯藥後用低沉的聲音說道，長今默默收拾起藥碗準備退出，可是就在退出之前清楚的聽見太后的聲音：

「現在妳的命是我的啦。」

中宗實錄中記載，太后的病情一好轉，王上就對藥房人員論功行賞，賜予醫女長今米、豆各十石。

當今王上十分堅持必須將歷代實錄印刷後，收進史庫中保管，因此連醫女長今的事都詳細記錄，我們今日也才能看到這段史實，從當時醫女的俸祿是一年兩石米來看，確實是莫大的封賞。

這件事過後幾天，長今又端了湯藥進入太后殿，正好王上、王后都在，正在說她的事呢。

「……所以說猜謎輸了得喝湯藥，贏了更要喝湯藥，如今診療不用說，就連施鍼、用湯都交給那孩子去辦了。」

長今不敢抬起頭來，並不是因得到太后的信任，心中高興不已，而是一國的太后若把針灸和湯藥等責任，全部交給一個低賤的內醫女負責的話，便表示本被當作藥房妓生，連醫官都可以任意使喚的內醫女，將可負起照顧王室的責任了。換句話說長今從此成爲朝鮮第一個被賦與施鍼和湯藥權的內醫女。

長今內心裏高喊著：母親、父親、韓尚宮！他們一直都活在自己心中，所以長今相信這一切他們都聽到了。

「王上！這是爲母的心願，請允許我這麼做，也請王后別反對，就同意我這個請求吧！」

「母后，我也熟識那個孩子，怎麼會反對呢？」

長今一聽到王后的聲音，便偷偷抬頭注視，發現她比登上王后之位時更具雍容華貴的氣質，也更具威儀了。

「呵，是嗎？」

「之前我有位情同母親的保母尙宮病重，也是由這個孩子竭盡心力照顧至過世的。」

「原來如此。」

「原本過了一段時間已經有點淡忘，後來是因爲喝了淑儀送來的茶，才又再想起。」

「淑儀帶來的茶？」

「是的，過去從沒喝過香氣那麼濃郁的茶，據說是搜集百種草葉尖端上的朝露水所煮出來的茶，因爲實在是太神奇了，就問起是誰煎煮的，一聽到長今的名字，馬上想起了之前的事來。」

「是嗎？若是那孩子的話，搜集百種草葉尖上的朝露水來煮茶這種事，讓她做來應是綽綽有餘，畢竟她爲了要我服用湯藥，連生命都肯付出呢，不是嗎？」

太后的讚譽越來越高，聽了令人委實過意不去，幾至坐立難安的程度，一直聽著的王上這時才把視線轉向長今。

「妳叫長今啊？」

「是的，王上……」

「妳幫寡人解除了心頭最大的重擔，如今連寡人都知道妳不但醫術佳，而且精純忠誠，又兼備智慧膽識。若是如此，絕對有充分的資格。所以從今天起，寡人就把太后娘娘的施鍼和湯藥權，全部交給醫女長今負責。」

銀非膽大心寬，高興得像自己的事一樣，頻頻誇讚。

「醫女的施鍼、湯藥權呢！眞不敢相信，到底是眞的，還是在夢中啊。」

「都是託妳的福呀，是妳鼓勵我說是賤民又如何？我們該對自己所做的事感到驕傲，才讓我勇氣百倍的。」

「對啊，是賤民又如何？連官家的女人也不容易見著太后娘娘，她卻這麼信任妳，將一切都交由妳負責……妳是我朋友，我眞引以爲傲，長今，妳是咱們醫女的希望啊！」

看著銀非的眼眶濕潤，長今反覆著最後一句。

「咱們醫女的希望啊……」

相反的，政浩就沒有那麼替她高興。長今本還以爲他會比誰都高興，可是他卻始終一副不以爲然的表情，令她不由得問了一句：

「大人不高興我接受太后娘娘的施鍼和用藥嗎？」

「高興，當然高興。」政浩綳著臉回答。

「可是，你就是一臉不高興的表情啊。」

政浩默默地走著，好像在生氣的樣子。已是櫻花盛開，隨即紛紛凋落的時節，有時甚至連小花苞都還沒能看清楚，就像雪花般紛紛飄落了。春陽照射在誠正閣等宮殿上暖烘烘的。

政浩在朗朗的陽光下闊步前行，與長今之間已拉開一小段距離，長今只得加緊腳步跟上。

「大人有什麼不愉快的事嗎？」

政浩忽地停下腳步，盯著她看，長今差一點就迎頭撞上。

長今見到政浩難得出現的生硬表情，內心不禁驚慌起來。

「明明自己說錯了話，還想讓我讚美妳嗎？」

從這麼一句摸不著頭緒的話聽來，確實是在生悶氣。

「您這麼說話，愚蠢如我怎麼猜得出自己做錯了什麼事呢？」

「瞧妳口才便給，怎麼偏偏人這麼笨呢？」

「大人……」

「妳說連性命也拚上了是嗎？妳的性命是可以那樣浪擲的嗎？」

長今這才弄清楚政浩生氣的原因。想說一句抱歉的話，他卻已經以長今無法跟上的大步伐走出老遠了。心想著必須追上去謝罪，腳卻不聽使喚，只見走遠的政浩頭上翩翩翻飛的，盡是那飄落枝椏，恍若朵朵雪花般的櫻花瓣。

國王決定了把太后的施鍼和湯藥權賦予醫女長今之後，內醫院及朝廷重臣一致激烈反對，主導此事的是內醫正鄭潤壽，背後則有崔淑媛和崔尚宮。

失去吳兼護和崔判述兩翼的崔尚宮，加上提調尚宮的壓迫，幾已達到四面楚歌的地步。今英雖貴為淑媛，但遠在後宮，只關心王上的寵幸，教她心焦不已。其實崔尚宮不知道，淑媛自從聽到政浩回來當內醫院的副提調起，一顆原已沉寂的心就無法安定，因為那是正三品的堂上官，比自己的身分更高。

崔淑媛原本期望就算不能擁有，也要能隨時見到政浩，所以才會不惜一切，贏得能夠如願的後宮地位。可是現在別說是隨時得見了，就算傳喚，他也已經晉陞到自己無權傳喚的高貴身分，那可是就算生下王子，自己也達不到的堂上官啊！

此時淑媛眼裏再度迸射出野心的火花，但眞正令她瘋狂的卻另有其因。聽到政浩賦予長今對翁主們的施鍼和湯藥權，造成內醫院軒然大波的消息時，淑媛終於失去理智，陷入了極度的憤怒和怨恨之中，甚至一想到長今曾爲自己把過脈，就連手腕都想一刀砍下。

總之，只要跟長今有關聯的人，包括政浩她都不想寬宥了。淑媛全身顫抖地想著：反正他已是不容易見到，更不可能傳喚的人，若要被長今奪走，還不如狠心摧毀，讓誰都得不到。

「不能就這樣算了，我絕對不會就此罷手。」

向崔尚宮表明決心的淑媛，兩眼像著了火似。而內醫正鄭潤壽的心火也不亞於她，長今的存在彷如芒刺在背，尤其本來就對副提調充滿了不滿和敵意，政浩每次又都袒護長今，當然會想要籌畫一個一石兩鳥的妙計。

正當此際，經崔尚宮的傳話知道了淑媛的意思，心中暗喜地想道：機會來了。

「有想好的計策嗎？如今內醫院喧擾不定，如同一個蜂窩，只要稍微輕輕碰一下，就會不可收拾，因此得想個妙策能緊緊將之套住，又令其無法吭聲才行。」

鄭潤壽在跟崔尚宮密會之處急著表明立場，崔尚宮則望著他，眼色猶疑不定。

「有啊，是有一個計策。」

「是能將兩人同時勒緊的方法嗎？」

「只要將長今引進彀中，自然就能套住閔政浩，所以只要拋出魚餌就行了，一待長今呑下魚餌，閔政浩上鈎便只是時間問題而已。」

現在的崔尙宮已然半失去理性。因爲她恨透了長今，腦中只有一個絕不跟朴明伊的女兒同在一片天空底下生活的偏執想法，之所以強行弄出一個陰狠的計畫，也是受到了這種想法鼓動的關係。

三天之後，連生被以謀害崔淑媛之罪帶走，理由是在雞湯裏加入了漆油，說讓皮膚脆弱、體質敏感的淑媛全身立刻浮腫發癢，就是漆油所造成的。若對此特別敏感的話，連看到上漆的櫥櫃都會發漆癢，故意去觸摸的話，甚至可能致命。

淑媛的體質就是對漆毒過敏，只要一看漆樹就會全身浮腫，而連生卻被懷疑在呈給淑媛的雞湯裏加了漆油。另外也說染了漆毒差點死掉的淑媛，是被內醫正鄭潤壽救了回來的。

得到昌依的傳達，急忙趕去時，連生已經被義禁府依重罪問審了。一時之間，長今幾乎失去了理智，但她還是勉強鎭靜下來，也沒有馬上懷疑這是淑媛和崔尙宮的陰謀，只是不斷告誡自己，爲了救連生，一定要保持冷靜。

與此同時，尙醞❷跟提調尙宮、最高尙宮，還有主掌後宮飮食的宋尙宮也聚在一起。當年對餵食明伊附子湯一事，表現得特別積極的宋內人，現在已成爲負責後宮各殿飮食的宋尙宮了。

「為何水刺間裏禍事頻傳啊？」

類似的問題總在平息一陣之後就再度發生，憂心的尙醞皺著眉頭這樣說，這回連提調尙宮的態度也跟以往不同了。

「怎麼回事？好像唯獨崔尙宮身邊經常發生不好的事，是不？」

崔尙宮用冷冷的眼光盯著提調尙宮，什麼話也不應，畢竟說到後宮的飲食，負責最後監督的就唯有最高尙宮，尙醞現在便指出了這一點。

「怎麼會發生這種事，崔尙宮到底在做些什麼啊？」

「眞是惶恐，都怪我忘了最高尙宮的本分，目前正深刻反省私自行動的後果。」

崔尙宮故意起頭說。

「這是什麼意思？」

「淑媛娘娘是我的親姪女，去年產下死嬰之後，元氣大傷，陷入憂鬱寂寞的情緒當中，於是我私下調理了雞湯，交由連生內人送去的。」

「那麼，妳是說連生是故意在中途加入漆油，要加害淑媛嗎？」

「是的。」

❷李朝內侍府正三品官。

「有人看到嗎？」

「是水刺間另一名內人令路親眼看到的。」

「她看到了什麼？」

「她無意間在水刺間看到連生往食物裏匆忙的放進什麼。等連生離開，令路試探性的摸了一下，很快就發現是會使皮膚紅腫發癢的漆油。」

「可是，連生這孩子有什麼理由要加害淑媛呢？動機都不明，看到的人也只有一個，怎麼會……」尙醞有諸多疑問。

「我也是這樣聽說的，連生跟淑媛結過什麼怨呢？」

「這樣的事，內人能獨力而爲嗎？如果不可能的話，就一定是有人幫她弄來漆油，不是嗎？」

「那會是誰呢？」

「我也不知道，不過一定是摸了漆油也不會有事，或是懂得取用而不怕漆毒的人所爲，不是嗎？譬如……」

「譬如？」

「依工作性質來說，木工或醫官是最清楚如何處理漆油的，還有別忘了那些擅熬湯藥的醫女們也是。」

「反正妳盡速找到解決之策處理掉吧，上次已有過水剌間內人自盡的事件，這次又……每次聽到這種事，我都無顏面見王上。也算是時運不濟吧，眞是……」

尙醞大力咂舌後先站了起來，他一出去，提調尙宮便用充滿懷疑的眼神斜睥著崔尙宮，連宋尙宮也面帶不悅。

「這手法未免太過明顯了嗎？」

「就是嘛，我也不懂爲什麼會這樣？」

崔尙宮表面上雖佯裝不懂，但側身而坐的她，陰毒的臉上也不禁流露出不安的神色，過去一向膽大包天的模樣不見了，僅有雙眼兀自閃爍著盲目的執著與殺氣。

太后仔細觀察了長今的臉色後問道。

「妳臉色不太好欸。」

「沒有，娘娘……」

「妳騙不過我的眼睛，到底有什麼心事？說來聽聽。」

長今猶豫了，良心上她實在不能利用自己的身分來向太后告狀，但友誼上又必須救連生，兩者之間難以抉擇，但最終抵不過自己的良心，說什麼都比不上連生的生命更重要。

「用漆也能置人於死地嗎?」

聽完曲折始末後,太后立刻對她感到納悶的一點提出疑問。

「對過敏的人是有可能的,但反過來說,若是能依照古法把漆製成藥的話,又沒有比它更好的殺蟲劑和防腐劑了。」

「這話怎麼說呢?」

「漆可使胃溫暖,去除發炎,幫助消化,治療各種腸胃病,又可排除肝淤血,舒緩炎熱,更是心臟的清血劑,可治療所有的心臟病。對肺而言,則可殺死結核菌,還能治療各式腎病,利尿效果卓著,除五臟六腑之外,對於神經痛、關節炎、皮膚病的治療而言,都是上好的藥材,用漆樹治好慢性胃炎和子宮發炎的例子也確實存在。」

「加了像這麼好的藥材,照理說不該被抓走,而是該給賞才對啊!」

「雖然是好的藥材,但反過來說,其毒性也很可怕,不過如果懂得如何去除漆毒的話,就再也沒有比它更好的藥材了。」

「是嗎?」

「漆油明明藥效卓著,卻仍不得不忌用,完全是顧慮它的毒性,可是,野生的草食動物中,有許多是喜吃漆樹嫩芽的,像鹿、獐都會吃。膽小的禽獸就算被趕走了，還是會爲了漆樹嫩芽一再回來覓食呢，甚至放牧的山羊一放出去，便會立刻去吃漆樹嫩芽。」

「意思是說這些禽獸有牠們自己解漆毒的特別祕方嗎？」

「雖然詳細情形不清楚，但奇妙的是吃了漆樹嫩芽長大的禽獸，對於治療人的疾病也發揮了特別的藥效，這應該是牠們的身體具有將漆毒轉化爲殺死病菌的反轉效果吧！」

「這樣的話，就値得好好思考了。」

「即使我的朋友眞的在淑媛娘娘的飲食中加了漆油，那也不會是致命的毒，依我所知，如果加在調理好的雞湯裏，還可解相當部分的毒哩，懇請娘娘務必明察，予以糾正……」

「這會招來什麼結果妳想過沒？牽一髮而動全局，有可能影響到全體內命婦啊！」

太后心懸淑媛，畢竟要救一個水刺間的內人，也不能將誣告之罪嫁禍於崔淑媛。

「不管如何，我明白妳的意思了，妳先退下吧！」

太后語帶疲憊的說了這句話之後，便專心一意的陷入沉思中，令長今不禁有些後悔自己似乎徒勞的努力。可是話已經說出去了，而且連生的性命也的確危急！如果連她也走了，那她與水刺間就再也沒有感情的連繫了，想到這兒不禁打了一個冷顫，那是再怎麼努力都無法擺脫的情感羈絆。

同一時刻，崔尚宮收買的義禁府判官只要連生招一句話。

「我知道是醫女長今要妳做的，她是因爲韓尚宮的事懷恨在心，所以長久以來，一直想要加害淑媛娘娘和崔尚宮對不對？」

只要連生說一個「是」字，他們就得手了。連生一面努力喚醒自己的意識，一面覺悟到世上最容易，也可以說最困難的，就是眼前這一聲「是」。

「沒這個道理！這完全是想要誣陷長今的奸惡之徒所爲，值此之際，爲了匡正內命婦的綱紀，無論如何都要把捏造事端的主嫌抓出來，依誣告罪予以嚴格的懲處！」

太后的威望豈容輕忽，這一點是崔尚宮和淑媛最大的失算。於是唯一的見證人，也就是幫忙端湯藥過去的內人令路，和負責幫淑媛診療的內醫正鄭潤壽，還有最高尚宮一行人，都一併被叫到義禁府去問話了。

太后甚至直接任命負責問供的判官，可見對此事件之關切，結果經不起拷問的令路，不久之後便吐出了凶計的全貌。

完全陷入恐懼當中的令路為了減輕自己的罪過，竟連沒被問及的昔日往事，也全部抖了出來，心伊的自盡事件和韓尚宮逆謀罪的全貌，至此終於真相大白。

令路一說出了實情，原本堅抵嚴刑拷問的崔尚宮也跟著鬆了口，但別說是懊悔求饒了，甚至還口出惡語，詛咒不休：

「對，是我做的，這有什麼不對？我從五歲進宮來當生角侍起，就指望有一日能當水刺間的最高尚宮，你知道那是多麼不易到手的位置嗎？不是最強的根本上不去，為了變得最強的人，凡是比我行的，妨礙我前程的，甚至連原本軟弱的自我都必須剷除，你們瞭解這種痛苦嗎？你們知道什麼，還敢來批判我！」

崔尚宮彷彿瘋了似的，齜牙咧嘴兼瞪大雙眼，或許她眞的已經瘋掉了也說不定，即便判官喝止，崔尚宮眼裏已經看不見任何人了。

「朴明伊！像她那樣的內人除掉一個有什麼大不了的？那時候一定得除掉不可，那時候要是確實除掉她的話，我今天也不必經歷這些侮辱了呀！徐長今妳這臭丫頭，我絕不會放過妳，就算做鬼也會每晚在妳夢中出現，一定要折磨妳，等著吧！妳這臭丫頭！」

這一晚，宮中風聲鶴唳，雨勢驚人，季節變換前一、兩天，似乎總會颳起強風下大雨。咆哮不休的風，淒厲有若狼嚎，連紙門縫隙都劇烈動搖。

長今躺著在黑暗中無法成眠，聽著瓦片滾動和樹被連根拔起的聲音，像這麼狂烈可怕的暴風雨，還是第一次碰到。

幾天後崔尙宮雖恢復了精神，但因爲說出了朴明伊的事，再度被問供，太后正好藉此來匡正內命婦的綱紀，因此也親自參與見證過程，並親自審問她最關心的附子湯話題。

「妳爲什麼要餵朴明伊附子湯呢？」

「因爲她把我做的事告知了氣味尙宮。」

「妳做了什麼事？」

「……當時在患了肥胖症的太后娘娘飲食中，加入了搗碎的川芎和草烏。」

「妳說太后？是指哪一位太后？」

雖是水剌間的凶神惡煞，崔尙宮至此也只能無力地垂下腦袋。

「難道是我？」

崔尙宮至此終於不得不以被揭穿的表情仰望太后，那是一種摻雜著未能完成的欲望和無法放棄的執著、依戀、悔恨、憎惡和悲哀等微妙眼神。

最後她向太后慢慢點頭說：「是的。」

「太過分了！從沒見過像妳這麼狠毒的東西！」

太后用手大拍椅子扶手喝斥。

內醫正鄭潤壽和最高尚宮都被降罪送往濟州島，雖然終點一樣，但罪名不同。鄭潤壽是發配邊疆，而淪落爲濟州島監營官婢的崔尚宮，罪名則是謀逆重罪。四年前，套住韓尚宮和長今的繮繩反過來套住了崔尚宮，而且還附有特別條款，就是終生流放濟州島，永不准回陸。

崔淑媛被趕回本家，因爲她早失父母，從小就在伯父膝下長大的關係，如今回到沒落的本家，只能淒涼的等候老死。

與狂烈的暴風雨同來的夏天，離去時也同樣颳起一陣強風暴雨，震撼天地。等這場雨停了，秋天來到，結滿米粒的稻子應該又會飽實一點了吧？

結果這晚幾乎所有的植物都被連根拔起，或折腰飄零。只有根深枝壯的，勉強還捱過了暴風雨，不可思議的是，清朗如天地初開似的秋天早晨，已在人們尚無暇留意中翩然降臨。

燦爛的朝陽慢慢照射進今英本家那久違了的空盪前院，後院裏一棵高過屋頂的槐樹，經過一夜雨水的洗滌，在陽光裏閃躍著綠葉枝幹。

許久以前爲了找尋走失的金雞，今英和長今曾同來此地，當時槐樹的枝椏便已伸長過屋頂了，可是樹幹卻好像一寸也沒長似的，與當年沒什麼兩樣。只有毫無根據的流言傳聞在人來人往之中到處竄流蔓延。

身穿素服，把自己脖子伸進套在最低樹枝上布結裏的女人是今英。下垂的頭、下垂的雙手與雙腳，全都默默的指向地面，香銷玉殞。

第七章　大長今

「受到誣告而被趕出王宮的朴明伊受王上冊封為正五品尙宮，被誣以逆謀罪冤死的尙宮韓白英受封為正四品……」

長今聲音顫抖讀著王上的追贈聖旨。封贈死者高官爵位的王上聖旨稱為追贈聖旨，而正四品則是身為尙宮的最高品階。

大風颳起，掃落了墳上的塵土，不久之後，草種飛來落了根，就連暴風雨也橫掃不走了，為墳塚鋪上一片新綠。自己無法常來掃墓除草，野草生命力又強，相信很快這裏就會是一片綠油油的了。

是政浩把長今堆的石塊移走，搬出她母親的遺骨，移葬至這塊向陽之地的。接著又在兩人初次見面的松波渡口附近樹林裏，離長今昔日找到黃瓜草不遠處找了半天，才適時找到一株還生鮮的野草莓供奉在墳前。

回來改搭船。從松波渡口到麻浦渡津，一路坐在船頭的長今曾想過，就這樣一直隨波逐流下去吧！母親跟韓尙宮的污名已獲得反正了，而雖然沒有成為水剌間的最高尚宮，但身爲內醫女的自己已得到太后深厚的信任，如今政浩又在身邊，如果還貪求其他什麼的話，好像會受到天譴似的，但政浩的想法卻有所不同。

「妳也可能因爲那種事就被抓到義禁府去啊！雖然我們同在宮裏，我也可能完全不知情，若是要到妳被放出來才知道，那就太難堪了。」

「當時太后娘娘即刻就要出面查詢，不會有任何差錯的！」

「只憑那樣無法安心啊！畢竟在王宮裏，一切皆難以預料啊，不是嗎？」

政浩感覺抑鬱的是長今如果稍有不愼的話，隨時都有可能受到誣告而被帶走，這全是因爲身分低賤的關係，不是嗎？他一直認爲班賞的區別❶是不公平、甚至是無意義的制度，可是從出生到現在一直是官家子弟的他，這還是首度親眼目睹非官家的人在傳統的制度下，被任意掃除的情形。這次要不是太后出面，長今最後會有什麼下場，根本是無從想像的。

若想要避開那些風波的話，身爲士族，至少會比現在安全，所以只要可以，政浩願盡一切可能、動用任何方法，只求能爲長今圍上一圈所有人都無法闖入的安全保護牆。無奈思來想去，就是想不出一個辦法來。士族和賤民通婚是不可能的，就算克服一切困難結了婚，也不能順勢賦與長今眞正士族的身分與地位，因爲那是違法的。

大殿過來急著找御醫時，政浩直覺機會來了。正好當時御醫和當值醫官均進入敬嬪朴氏的處所，而長今剛好站在自己的身邊。

爲了長今考量之下，政浩向王上稟奏己見後，便靜待下令。

「那孩子的醫術我也曉得，可是這事若傳開了，內醫院全體不會群起抗議嗎？」

「先大王殿下建立了醫女制度的骨幹，王上再給加上了血肉，可是醫女們卻仍然被各種宴飲招來喚去，處於賣笑代替醫術的處境。王上若再猶豫的話，那醫女制度究竟要到何時才能落實，國家的醫術發展又如何能夠寄予厚望呢？」

「卿家所言甚是，不過我們國家也不可能在一日之內產生變化，因爲有兩項制度在，不是嗎？就是班賞和內醫法，這是不能隨意更動的。」

「可是，現在御醫和當職醫官正好都忙碌不在呀！」

「是嗎？看來副提調的意思，眞的是想要讓內醫女診療看看囉？」

王上意外輕易的允准，可能是因爲他正身受極大的痛苦吧！褥瘡是不能躺，不能靠，只能坐著的沉痾，有時感覺就像等死一樣，若能解除當前的痛苦，就算交給鬼神來治療，他也會答應。

❶按地位封賞。

政浩見長今進來就靜靜地退出了大殿寢宮，爲了可以讓她專注治療，他認爲自己不要參與比較好，再說尙醞也還在，那是爲危急情況預先安排的措施。

政浩一出去，長今感覺就像是被拋棄在墓地一般。室內陰暗極了，國王的表情則更加晦澀，有種快要呼吸不過來的壓迫感。脫掉龍袍和翼善冠，卸除了外表的武裝後，眼前這人與其稱之爲王上，還不如說就只是一名男子。

除了政浩之外，長今還沒診療過其他男人，特別是王上的身子。轉念又一想：男人的所有構造，不都跟女人相反而已嗎？一時沉浸在這種愚蠢的思慮中。

「妳靠近一點。」

王上的聲音比想像中要溫和，不知不覺便消除了恐懼，長今遲疑了片刻，只往前移了比平日稍小的一步。

「再靠近一些，寡人與妳早已相識不是嗎？」

「是……」

「太后殿之前，在射箭場是初次見面吧？當時妳不顧醫官們的反對，堅持以青苔爲尙磊治療，那時給我留下相當深刻的印象呢。」

國王還記得那天的事，可是初次見面的事卻完全不記得了。

「奴婢惶恐，但王上和奴婢在射箭場，卻並非初次見面。」

「是嗎？那之前寡人曾見過妳囉？」

「是，最近的一次是丁尚宮嬤嬤提議舉行最高尚宮競賽時，我曾做菜呈給王上品嘗，是加了陳年醋的海鮮冷盤，您還記得嗎？」

「海鮮冷盤……是不是用埋藏了數十年的醋做爲佐料的那道海鮮冷盤？」

「是的。」

王上連那個都記得！那是母親和韓尚宮一起製作，埋在地下吸取了二十年地氣而成的陳年醋。

「那麼，再遠又是什麼時候曾跟妳見過面呢？」

「舉事前一日，朴元宗大監曾要奴婢給當時仍爲晉城大君的您送酒。」

「噢，那一次！」

「每瓶酒都貼著不同顏色的標籤，上面寫著酒名。」

「噢，那麼，妳就是那個……」

「天天酒、既當酒、死爲酒、今顯酒……」

「噢，對呀！是寡人永世難忘的酒，妳怎麼迄今仍記得那些名字呢？」

「那晚的事是我一生都無法忘記的獨特經驗啊！」

「眞是……眞是的！吵著至密尚宮讓妳進宮做宮女的伶俐孩子，何時變成了照顧母后和寡人的內醫女，寡人怎麼都不知道？世上竟有如此奇妙的緣分！」

不知是否對這段緣分真的感到高興，國王彷彿暫時忘了疼痛，此時長今才記起自己的本分，想起了來寢宮的目的。

「王上，可以開始診療了嗎？」

此話似乎一併喚起了暫時忘卻的疼痛，國王立時呻吟了一聲，並嘆了口氣。

國王的褥瘡是陳年的痼疾，因患部血液不流通的關係，漸漸淤血，化爲痛瘡，厲害時長出水泡，再來就烏黑潰瘍，甚而流出惡臭的分泌物。

王上如今已算是嚴重的狀況，雖然一般都以爲褥瘡是久臥病床的患者才會發的病，但其實長時間坐在椅子上，幾乎不用活動身體的士族們也會罹患，有脊骨問題或消渴症患者，因血液不暢流而皮膚組織變弱的關係，更是得特別得注意褥瘡。因爲此病患者連同一姿勢站得太久，腳底的皮膚組織也會開始壞死。

脆弱的皮膚受不了經常來自外部的壓力，最嚴重的時候，疼痛可比刀刺入骨，就算還不到那種程度，王上也好像是痛得很厲害。

長今驚慌的還不僅是褥瘡，國王忽然因惡寒而發抖，且有高燒症狀，並喊說頭痛，關節也痛，外加脈搏微弱，呼吸也逐漸的加速。

大概是由於褥瘡併發了其他症狀，有時，化膿的病菌鑽入患部，會在血液中繁殖，若產生毒素變成腫毒的話，也可能引發全身感染，危及性命。腫症的徵兆是意識混亂，眼前王上似乎已有此現象，這點嚇壞了長今。

心脈跳動也不穩定，比平常慢了一陣，之後還不知道會有什麼變化。

長今先清潔消毒患部，很快就發現無法用手擠膿，因爲化膿菌已侵入體內，散布毒性，光用手絕對擠不出底部的膿，別說是在濟州使用過的鮑魚貝了，當場連螞蟥也沒得求啊！長今不再猶豫，馬上決定用嘴來吸吮患部，醫女若把身體也當成診療病患的道具，便無需限定於手指吧！

「妳想做什麼？」

一直坐立不安守在一旁的尙醞，或許是認爲再這樣下去不行吧，便起身制止。

「已顯露出血液中毒的症狀，除了這麼做，別無他法。」

長今說完即趕緊用嘴開始吸膿，吸後吐出的膿足足有一碗之多，然後再用三種鍼扎入十二個穴道，總共經五次的炙治，才算診療完畢。

長今筋疲力竭，後續的處理全都交給了尙醞，一回到處所就倒下來了，幾達全身虛脫無力的地步。她連自己到底做了什麼，也有點不太清楚，那一位眞的是王上殿下嗎？眞的不太懂，首先，未著龍袍已感陌生，加上褥瘡導致傷口腐爛，實在看不出那位就是平時深具威嚴的君王。

不知是進地獄走了一遭，還是做了個夢，長今迷迷濛濛的眞的進入夢鄉了。

低賤的醫女不但親手觸摸了王上至尊的龍體，還用嘴把膿吸出來，這消息立時傳遍了朝廷，掀起萬丈波濤。長今施鍼的事也隨著王上病情的變化，由觀察狀況的御醫，以及自認受到脅迫的尙醞之口，加油添醋的散播開來。

只要有兩人以上聚在一起，就會異口同聲地撻伐副提調閔政浩和內醫女徐長今，認爲該把他們趕出去，吵得宮裏鬧哄哄的。當今王上登基以後，大小臣子竟對同一事件意見一致，這眞是空前也是絕後的一次。

對副提調的彈劾議論如同洪流。王上仍未脫離病榻，眾臣和醫官就已動用了一切手段，想要把閔政浩從副提調的位置上拉下來了。

長今想要自己退出，政浩當然也不希望太后和王上爲了這個問題操心，其實他們也沒有什麼奢求，只希望別再有這些額外的紛擾。

她只想安靜的過活，像幼時在白丁村裏那樣，經由花草樹木、清風白雲、日月星辰聆聽著大自然傳達的訊息，心懷感激的過活。睏了就睡，餓了就吃，什麼都不追逐，只有眞正心動的時候才有所行動，現在似乎可以過那樣的生活了。

已下定決心，甚至開始整理行囊的長今，突然聽到王上清醒的消息。他不但立刻駁回了官員們要彈劾副提調的請求，而且還下旨要提昇內醫女長今做爲貼身醫女，朝廷於是再掀巨浪。

連日來臣子的上疏如潮水湧來，朝廷的政務已到癱瘓的程度。到這時候，王上也不得不讓步，收回了任命長今爲貼身醫女的聖旨，事件算是暫告一段落。可是餘燼猶存，留待下次再燃起的時機。

因爲從此王上便不再召喚御醫，只叫長今前來。除了接受治療外，連讓他憂煩的心事都向長今吐露，於是長今就以實際貼身醫女的身分，敞開心胸與王上成爲親密的朋友。

對此感到不安的不僅是眾臣，政浩一面慶幸長今得到王上的寵愛，一面也強忍內心深處的痛楚，這個矛盾的心情彷彿一個怎麼也治癒不了的潰爛傷口。

從此以後，政浩臉上失去了笑容，因爲他遇到了完全無法競爭、更無法搶奪豪取的情敵，恐怕只有死了躺在墳墓裏的人，才能比王上這個情敵更強大。事實上，他也不敢把「敵」字輕易加在王上身上，更不能豪氣的叫他與自己一爭長短，而是必須無言的退讓，王上眞是世上最柔弱、又最可怕的對手。

政浩的心情只有捶胸頓足可以形容。他確信長今有能力可以醫治王上的痼疾，他原本是想，或許她可以因此獲升爲士族。雖然這種事情並不常見，但只要治好王上的痼疾，王上便可以動用他被賦與的特權。可是如今看來，長今雖有可能升格爲士族，卻同時擁有王上的心儀，局面等於完全反轉，長今或許將整個被奪走。

此時，相對於政浩的不安，王上的精神卻越來越好，身體上的傷痛完全痊癒，不適一掃而空，更何況又擁有一位外表嬌妍秀麗，最難得的是談話投機的貼身御醫。

這一天長今端來湯藥時，王上一臉深情的叫她坐到身邊說道：

「妳煎的湯藥似乎是甜的呢，是因爲妳出身水剌間的關係嗎？」

「應該是因爲用不同的水煎藥的關係吧。」

「用不同的水？」

「我一定用井華水給王上煎湯藥。」

「是嗎？」

「井華水是清晨第一回打起來的水，由於水面蘊結了日月精華，所以可防止出血，讓氣色變好，對酒後的腹瀉也好，具備了令頭腦清醒的卓越效果。不過最重要的還是用井華水煎藥的話，藥效可以更加提高一些。」

「那麼，妳每天都清晨去打水做準備囉？」

「是的，王上……」

王上望著長今露出滿足的笑容。長今則低下了頭，想不到王上會如此，看來他看待自己的眼光，已從一個貼身醫女，轉變成一個女人……

王上越來越親近長今，最後終於無法再以醫官和臣子一樣對待長今，而強烈的想要將她納爲後宮妃子。於是原本律己養生的王上，某晚突然動起了酒菜，趁著心情大好微醺之際，便召長今過來試探。

「我爲什麼要禁止醫女進出酒宴，妳知道嗎？」

不但說話的內容不同，王上的表情和語氣，也都跟往日大不相同。

「我認爲是對先王的行事深感不妥的緣故吧。」

「是啊，當時我也曾在酒席中接受醫女們斟的酒，對於醫女不得不做妓生侍奉的沉痛模樣，極感不忍與厭惡。所以在登基後，便下令除此積弊。當時還不瞭解自己爲何會那麼深惡痛絕，如今回想起來，才知那或許是我們今日得以聚首的契機，可見冥冥之中，老天自有安排。」

「讓醫女倒酒就是把奴婢等當成沒有貞操的下賤婢女，普通百姓家尚且把貞操看得比性命更貴重，然而在宮中，卻認爲賤人的貞操沒有重視與保護的價值與必要，但醫女分明也是有貞操的啊！」

「當然，妳這話說得一點兒也沒錯！」

「是的。」

「心中有人了嗎？」王上突然問。

「是的。」

坦然吐露的回答，多少令王上有點措手不及，只見他立即調整了傾斜的上半身，坐正起來。反倒是長今本人對於王上的納悶不解，完全可以領會。

「那幸運兒是誰啊？」

「這……奴婢不敢答。」

「妳不用擔心，不會有任何問題。妳就放心說說看，也許是寡人熟識的人？還可以爲你們做些安排。」

「他的心意我明瞭，而他也一直都在我心上，王上無需爲此費心。」

此言一出，王上深受衝擊，但卻立刻隱藏住心意，以強忍失望的眼光凝視著長今。

「唉，寡人差一點就犯了大錯啦。」王上以稍帶苦澀的語調說完之後，一口氣將酒飲盡。

「大概是把妳任命爲貼身醫女的關係，眾臣連日來都不讓我好過，說與其讓女人負責此重責大任，還不如讓她成爲後宮，大家心裏還舒服一些。」

「眞是萬分惶恐啊，王上……」

「妳不必惶恐，實際上，寡人初聽到臣子的請願時，心情也曾大爲動搖。」

長今聽見王上坦承曾有動搖一言，大受震撼，天啊！自己眞的把全民之天的君王心情給攪亂了嗎？治療太后的病時，不惜賭上自己的性命，而後王上身患褥瘡，生命交關之際，她又不管三七二十一，馬上就湊上嘴去吸膿，像這樣深度影響著的人，一旦提出了要求，自己敢拒絕承恩嗎？長今幾乎連想都不敢想。

「可是，聽了妳的話後，終於清醒過來。我已經失去了兩位正室夫人了，拋棄糟糠之妻並非出於我的本意，與章敬王后死別亦非我所願。」

王上再次乾杯。

「若是寡人在登上王位之前……身爲一個血性男子，是絕不會讓任何人搶走妳的。」

原本聽到王上說自己已清醒而安心的長今，如今更加慌張起來，眼光都不知該往哪裏擱。

「但是，寡人眞心疼惜妳，所以絕不會走入嫉妒和憎惡蔓延的世界。」

王上又喝乾一杯酒，之後便對外面喊道：

「尚醞進來！以後對醫女徐長今我不會再下任何晉陞令了，因此，一切要求我下收為後宮的諫言也不用再提了！」

這以後長今便與一切的晉陞絕緣，納為後宮的事也無人再提，就單純以王上的貼身醫女的身分度日。要臣也不再把這當成問題，有關於長今的一切，終於都平靜下來。其中最最沉重靜默的人，當然是政浩——近二十年的歲月，一直守護著長今的政浩。

雖然王上信守不再晉升長今之事，但私下卻獎賞了無數禮物給長今，裏頭包括一塊特製的玉笏，是在青白色玉石上，刻有「大長今」三個字的一塊玉笏。

長今撫摸著玉笏，微側著頭表示不解時，王上說了：

「『大』是稱讚人了不起的意思，妳是寡人所見過最了不起的女人，所以賜名『大長今』。」

王上交代此言時，聲音飄邈宛如將準備要出遠門一樣。之後就躺下來了。長今雖盡心盡力的治療，病情卻一直不見起色，從右議政以降，內醫院提調和眾臣均嘈嚷的說，應該交給御醫來負責診療。

每當聽到這種聲音，王上的回答都一樣：

「寡人的病醫女長今最瞭解，眾臣不必擔心！」

王上再也起不來了。等到離世之際，負責診療自己的長今，生命一定會受到威脅。雖然沉潛了這一大段期間，但王上深知若自己也離去的話，任誰也保護不了長今。

慈順太后離世已經頗久，距離政浩他調分別，也已經過了三個月。有人說他是爲王上遠行忙公務去了，也有人說是榮調去當譯官，更有一說是王上直接下旨要政浩他調，但長今始終不信。

躺在病榻的王上把長今叫來，交給了她一封信函。

「最後有件事要拜託妳。妳到外面去，有個帶路的軍官在等妳，妳隨他去，把這個密旨交給他。」

「不行，我不能放下病勢沉重的王上殿下離開啊！」

「這裏有御醫和其他醫官們在，妳別擔心，去吧！」王上堅持道。

長今磕頭懇求留下，但最後仍拗不過王上的固執心意，這是中宗三十七年（一五四〇）的事。

起步走向已然結凍的鴨綠江之際，雪花終於紛飛。接到長今帶來的王上密旨出發去尋找新世界的政浩，與長今一塊兒朝中國前進。很久以前，帶著信函前來的女人，又再度帶著信函前來，這事令政浩原本寂寞的心湧現遙想過去的傷感，但更重要的是，充滿對未來的全新希望。

降雪漸漸增大，頗有風雪欲來的氣勢。強風吹得幾乎連頭都快要抬不起來，但長今一刻也不鬆懈的緊跟在政浩後面。要去尋找的，雖是從未曾見識過的陌生遠方，但未來的路卻比現在更開闊也更明朗。嗯，長今滿心篤定，步伐輕快的想：反正一切都有政浩在前面勤快的開路。

從今而後，不再孤單。

國家圖書館出版品預行編目

大長今（下）／金榮昡劇本；柳敏珠撰寫；
王俊、游芯歆譯．--初版．--臺北市：麥田
出版：城邦文化發行，2004【民93】
面；　公分．--（電視小說；6）

ISBN 986-7537-874（平裝）

862.57　　　　93007985

麥田出版

廣 告 回 郵
北區郵政管理局登記證
北台字第10158號
免 貼 郵 票

cité 城邦 城邦文化事業(股)公司

100台北市信義路二段213號11樓

請沿虛線折下裝訂，謝謝！

麥田出版

文學・歷史・人文・軍事・生活

編號: RU0006　　書名:大長今（下）

cité 城邦

讀者回函卡

謝謝您購買我們出版的書。請將讀者回函卡填好寄回，我們將不定期寄上城邦集團最新的出版資訊。

姓名：________電子信箱：________

聯絡地址：□□□________

____

電話：(公) ________分機________（宅）________

身分證字號：________（此即您的讀者編號）

生日：___年___月___日　性別：□男　□女

職業：□軍警　□公教　□學生　□傳播業　□製造業　□金融業

□資訊業　□銷售業　□其他

教育程度：□碩士及以上　□大學　□專科　□高中　□國中及以下

購買方式：□書店　□郵購　□其他________

喜歡閱讀的種類：________

□文學　□商業　□軍事　□歷史　□旅遊　□藝術　□科學　□推理

□傳記□生活、勵志　□教育、心理　□其他________

您從何處得知本書的消息？（可複選）

□書店　□報章雜誌　□廣播　□電視　□書訊　□親友　□其他

本書優點：（可複選）□內容符合期待　□文筆流暢　□具實用性

□版面、圖片、字體安排適當　□其他________

本書缺點：（可複選）□內容不符合期待　□文筆欠佳　□內容保守

□版面、圖片、字體安排不易閱讀　□價格偏高　□其他

您對我們的建議：________

____

____

____

____

____